S

Dello stesso autore nel catalogo Einaudi

Diego De Silva
Mancarsi

G.S. 10-4-19

Einaudi

www.einaudi.it

ISBN 978-88-06-21990-1

Mancarsi

L'unico vero possesso dell'uomo è nelle cose
che ha perduto.

FRANZ WERFEL

C'è una foto che Irene ha scattato con gli occhi, un frammento, una di quelle istantanee dov'è condensata tutta la tenerezza per qualcuno che abbiamo amato o amiamo ancora, e che si acquattano nella memoria per la vita.

A volte è una sequenza, altre un'immagine, un fotogramma qualsiasi, un movimento spezzato, una smorfia (debolezza, forse vergogna), un gesto piccolissimo che non possiamo raccontare a nessuno (e non perché non vogliamo ma perché non sapremmo neanche come cominciare, e se pure ne fossimo capaci preferiremmo non farlo).

Magari in quei lampi della memoria la persona con cui abbiamo scelto di passare parte della nostra vita non era nemmeno così bella come sappiamo può essere; eppure è lí che ne conserviamo l'essenza, perché è stato allora che l'abbiamo vista così inaspettatamente smascherata e se stessa; è in quell'istante che tutto è avvenuto.

Forse lei non lo sa neanche, intanto recita la parte che crede sia quella che ci ha attratto, e noi teniamo il segreto per tutto il tempo in cui restiamo insieme, l'amiamo di nascosto in un certo senso, perché poi nessuno è in grado di spiegare di cosa è fatto l'amore che prova; le qualità etiche e anche quelle estetiche non c'entrano poi molto con i legami che si stringono per anni, le case, i figli, tutti gli investimenti collaterali (non c'entrano neanche con le separazioni, in fondo), e quando ce lo domandiamo («Ma tu perché mi ami?») e stiamo a sentire la risposta, rimaniamo per forza un po' delusi, quasi vorremmo replicare: «Dài che puoi fare di meglio, dimmi chi sono», perché non è di semplici complimenti, per quanto sinceri, che in quel momento andiamo alla ricerca, ma di qualcosa di piú intimamente effimero che ci descriva nell'immaginazione dell'altro.

Vogliamo che la persona che amiamo ci dica d'essersi innamorata di noi perché un giorno, senza neanche pensarci, l'abbiamo toccata in un punto in cui non sapeva di essere sensibile, come certe carezze che arrivano molto in fondo per conto loro.

«Ti amo perché ti gratti il polso in quel modo tutto tuo», questo per esempio vorremmo sentire, piuttosto che: «Ti amo perché sei generoso e affidabile».

C'innamoriamo di minuzie, di riflessi in cui vediamo l'altra persona come pensiamo che nessuno l'abbia mai vista e mai la potrà vedere, e custodiamo questi attimi di unicità in forma d'immagine, anche se negli anni sbiadisce; ma è a quell'immagine che chiediamo aiuto quando il nostro sentimento vacilla e dubitiamo di amare, allora la richiamiamo, e ci basta (quando ancora l'immagine è viva) ritrovare quel modo di bere a canna, tenendo la bottiglia distante dalle labbra, perché l'amore torni a insinuarsi e si riaccenda, rimettendo a posto le cose, disponendole intorno a noi nell'ordine rassicurante in cui ci siamo abituati a vivere, e ci lasci dove siamo, reprimendo di schianto i progetti di fuga a cui avevamo già cominciato a lavorare.

L'istantanea di Irene è una scena di lotta. Per strada lui aveva avvertito un improvviso dolore al petto e s'era aggrappato a lei con tutt'e due le mani, come stesse precipitando.

A sconvolgerla e insieme legarla nel profondo (dandole la consapevolezza definitiva e totale di come sarebbe andata la sua vita da quel momento in avanti) era stato sentire quanto lui si fidasse della forza delle sue braccia, quasi avesse dimenticato di tenersi a un corpo di donna e lo trattasse senza piú riguardo e delicatezza, come quello di un amico, un fratello o anche un estraneo, un uomo robusto che in quel momento fosse fisicamente capace di pareggiare la sua forza e restituirgliela in forma di rassicurazione e di coraggio. E fu allora, innamorandosi, che Irene scoprí di avere braccia forti, piú forti di quanto avesse mai pensato.

Adesso Irene chiude gli occhi e rivede la sua istantanea, perfettamente uguale a se stessa («Si porta ancora bene i suoi anni», pensa, e sorride), che non trasmette piú nulla.

Non sa come sia successo, ma ricorda bene quando, perché nel preciso momento in cui aveva capito che il suo matrimonio era finito, aveva guardato l'orologio sulla parete della cucina.

– Che hai? – le aveva chiesto lui fermando addirittura il cucchiaio a due dita dalla bocca.

– Niente, – aveva risposto Irene. E gli aveva carezzato il dorso della mano, il gesto che fanno le donne quando vanno via per non tornare piú.

Nicola è un lettore forte, ma non ha mai letto un libro dall'inizio alla fine. È perché non crede alla compattezza delle storie. Che un racconto resti coerente per duecentocinquanta, trecento pagine, gli sembra una forzatura. In un romanzo cerca gli sconfinamenti, le irregolarità. Il colpo di testa che prende lo scrittore quando vede passare una cosa e la segue, lasciando la rotta giusto il tempo di affacciarsi e rinunciare, tornando alla struttura con la coda fra le gambe.

Sono quelle infrazioni che gli parlano. È per loro che si riempie la casa di libri. Ne avesse il coraggio, strapperebbe tre quarti delle pagine di quasi tutti quelli che possiede, per ritrovarsi una biblioteca di testi martoriati.

Non che l'idea esteticamente gli dispiaccia. Se non lo fa è perché sa benissimo che senza quelle che non legge, le parti che considera preziose perderebbero valore. Le cose importanti non si possono isolare, né unire. Prese una per volta, s'immiseriscono. Selezionate e raccolte, non compongono un'opera. Per dire la loro devono confondersi.

Di tutte le storie che conosce, quella che gli ha fatto l'effetto di un'insinuazione rivolta a lui (come una malattia che ti senti addosso quando ne impari il nome, e i sintomi che accusavi da tempo diventano subito la sua forma) non sta nemmeno scritta sui suoi libri. Gliel'ha riferita qualcuno, manco ricorda chi. Forse non è un racconto, piuttosto un resoconto, un pettegolezzo letterario tratto da una storia vera. Quelle voci che hanno gioco facile a passare di bocca in bocca perché contengono delle verità rovesciate e un po' ciniche che si è portati subito a riconoscere (anche perché non costa niente, visto che è sempre di qualcun altro che si tratta), e nel cambiare narratore si gonfiano sempre un po'.

C'era una donna – questa la storia – che amava il suo uomo in modo assoluto. Gli dedicava la vita e ne era felice. Si occupava di lui senza riserve, e non le importava di non avere altro da fare. Anzi, sentiva quasi come un disturbo qualsiasi occupazione o impegno la distogliesse anche pochissimo dal compito che s'era scelta.

Quando erano in compagnia di amici, bastava che lui aprisse bocca su un argomento qualunque perché lei lo guardasse con l'incanto di una ragazzina che, dopo tanto tramare, finalmente si ritrova nella stessa stanza col piú bello della scuola. Ammirava il suo punto di vista sul mondo, e la grazia con cui lo proponeva.

Senza di lui, non usciva neanche per fare la spesa. Lo seguiva dappertutto, ma era molto attenta a non invadere i suoi spazi. E quando un impegno di lavoro lo tratteneva fino a tardi, si faceva trovare sveglia ad aspettarlo. Per sé non chiedeva niente, le bastava stargli accanto.

Poi un giorno lui s'era ammalato ed era morto. Tutti avevano pensato che lei non avrebbe sopportato la mancanza e si sarebbe lasciata andare, astenendosi dal vivere per seguirlo al piú presto. Lo avevano pensato perché era comprensibile pensarlo e perché, per quanto disgraziato, è un bel pensiero.

Invece lei era rinata. Aveva ripreso a uscire, viaggiare, riallacciare contatti, fare jogging (questa dello jogging era una probabile aggiunta dei remake successivi). Gli amici la incontravano dappertutto, al cinema, ai concerti, nei bei negozi del centro, e provavano un certo imbarazzo nel vederla cosí luminosa, cosí disinvolta nell'andare avanti.

Non che lui non le mancasse. Forse però le era mancata di piú la sua vita. E adesso che l'aveva ritrovata, se la stava riprendendo.

Era singolare, pensava Nicola, come questa storia trovasse sempre lo stesso silenzio rispettoso (oppure omertoso, non si capiva) ad accoglierla. Come se nessuno avesse le carte in regola per biasimare quella donna.

«Era proprio necessario, – questa la domanda che tutti avrebbero voluto farle, – aspettare la morte per liberarti di un rapporto che ti stava stretto? Se sapevi (perché via, non potevi non saperlo) che non era quella la vita che volevi, non sarebbe stato piú onesto prendere prima la tua strada?»

Piú che una domanda, una critica; che però veniva taciuta con la stessa spontaneità con cui montava dentro.

Era in quel silenzio intimidito e colpevole, in quella coda di paglia che censurava sul nascere ogni intento moralistico, che Nicola si riconosceva di piú. Come tanti, anche lui si guardava bene dal giudicare, perché anche lui, come tanti, nel profondo sapeva che quello che soprattutto fa la persona che ami è occupare dello spazio, stare al mondo: diventare il tuo spazio e il tuo mondo. E il peggio che ti può capitare, quando ti abitui a vivere in un mondo ridotto a una persona soltanto, è di pensare di avere abbastanza mondo per essere felice, addirittura diventarlo, e cosí raccontarti che nel resto del mondo, tutto quell'altro mondo che non è lei, non vuoi neanche piú andarci; infatti non ci vai, e dopo un po' ti senti persino fiero di aver smesso di frequentarlo, quel mondo cosí vasto, anche se poi quando viene a girare dalle tue parti o lo vedi dalla finestra ti sale un po' di magone, e te ne torni dentro mordendoti le labbra.

Molto prima che l'incidente lo riconsegnasse a una vita che non si era mai permesso e di cui poteva fare quello che voleva, finalmente, Nicola aveva conosciuto il rimpianto della solitudine, la privazione di una libertà con cui avrebbe voluto riempire i suoi giorni (non per farci qualcosa, solo averla) e invece assaporava nei pochi, insufficienti spazi che riusciva a ritagliarsi.

Per questo gli sembrava perfettamente comprensibile – come tutti quelli che come lui tenevano la bocca chiusa su quella storia – che la donna del racconto avesse ritrovato la sua vita nella morte dell'uomo che amava.

Ed è per questo che oggi, per quanto gli costi ammetterlo, non riesce a soffrire completamente, né si sente sbagliato nell'uscire ogni giorno di casa con la speranza d'innamorarsi ancora, però stando bene attento a tenersi stretto il resto del mondo, questa volta.

Un giorno, nella sala d'attesa del dentista, avevano fatto per gioco un questionario sulla coppia.

La terza domanda era:

«Quante volte al giorno ridete insieme?»

Le risposte possibili:

a) da 0 a 2.

b) una ventina.

c) piú di cento.

Bella domanda, si era detta Irene.

Lui aveva preso un fogliettino, aveva scritto la sua risposta e l'aveva piegato due volte. Lei l'aveva imitato. Però gli aveva chiesto subito: – Cos'hai risposto?

– *C*, – aveva detto lui, – perché, tu? – e aveva fatto per afferrare il suo fogliettino.

Irene glielo aveva strappato dalle dita, dicendo con un sorriso: – Anch'io.

Ma sul suo fogliettino c'era scritto *a*.

Lo ricorda bene.

Nicola voleva un figlio. L'aveva realizzato un pomeriggio, davanti allo specchio del bagno e con la schiuma da barba in faccia, mentre Licia correggeva i compiti in cucina.

«Lo voglio», si era detto. E poi aveva sorriso, ripensando al giorno del loro matrimonio. Non vedeva l'ora di pronunciare quelle due parole famose per gustarne la solennità, sentire l'effetto che facevano. Invece l'ufficiale di stato civile li aveva spiazzati tutti e due, con una domanda che nessuno si aspettava.

– Licia, – aveva detto rivolgendosi prima a lei, – è contenta di prendere Nicola per marito?

E lui, che fino a un attimo prima era pronto a dire: «Lo voglio», era rimasto incantato dalla perfezione di quella domanda, e dal suono armonioso che aveva. Vero: era la contentezza che andava interpellata in quel momento. Non la responsabilità, l'impegno, la dedizione, la ricchezza e la povertà, la salute e la malattia, quelle categorie cosí grevi, cosí giuridiche. Essere contenti, è questo che conta quando ci si sposa. Fare il passo del matrimonio con un animo allegro, speranzoso e già incamminato verso la felicità, altro che la drammaticità del «Vuoi tu prendere in sposa», che a un tratto gli suonava come un «Firma qui»; e quand'era venuto il suo turno, e il signore con la fascia tricolore sulla giacca (che aveva una faccia molto meno anonima, adesso) gli aveva chiesto se anche lui era contento di sposare Licia, aveva detto: «Sí, lo sono», ma non è che lo fosse poi tanto.

Allora, con quell'entusiasmo ancora in circolo e qualche baffo di schiúma residuo sul collo, era andato in cucina a dirlo a Licia.

Lei non aveva sorriso come sperava. Non aveva sorriso affatto. S'era solo tolta gli occhiali, in un modo che gli aveva istantaneamente azzerato le aspettative.

– Cosa c'è? – aveva chiesto Nicola. – Cosa ho detto?

– Non credo di volerlo.

Non c'era dispiacere nella sua voce, solo dell'imbarazzo.

– Io... vuoi che aspettiamo ancora un po'? – aveva ribattuto Nicola, pur avendo colto perfettamente la portata della risposta.

Licia era passata a specificare il concetto con una lealtà secca di cui lui non sentiva affatto il bisogno, come se nel togliere i fronzoli alla verità, nel farla risuonare e tintinnare nuda e cruda, si celasse un valore.

– Fino a un po' di tempo fa non escludevo del tutto l'idea. Ma non voglio prenderti in giro, né dirti una frase di circostanza che potrei ritrattare domani, o quando sarà. Non ho voglia di fare la madre, non è per me. Non voglio dedicare la vita a un bambino. Mi dispiace.

– Ah, – aveva risposto Nicola, che invece avrebbe voluto dire: Ma che cazzo stai dicendo? Come ti permetti di parlarmi cosí? Non sono venuto a comunicarti il trasferimento in un'altra città e a chiederti di seguirmi (e se anche fosse, non potresti liquidare la faccenda come se non fosse un tuo problema); ti ho appena detto che voglio un figlio, un figlio nostro, sono tuo marito, trattami con cura, dimmi sí o no nei modi giusti, non restare lí seduta, alzati in piedi, preoccupati, angosciati, chiediti se a partire da questo momento s'è aperta una crepa fra di noi, ripensa a quello che ti ho chiesto o almeno dimmi che lo farai, parliamo di questa tua indisponibilità a dedicare la tua vita a un bambino (hai detto cosí, no?), e se permetti anch'io avrei qualcosa da dire al riguardo, perché non mi piace affatto la tua risposta, anzi mi irrita, mi offende quel tono inappellabile e non capisco le tue ragioni, spiegami per quale motivo non potresti dedicarti a un figlio, si può sapere chi cazzo ti credi di essere, e soprattutto, il fatto che sia venuto a comunicarti un simile desiderio non ha nessuna importanza? Non ti chiedi come mi sento?

Santo Dio, non la sopporto piú la tua sincerità, la tua buona fede, la pacatezza con cui t'imponi e scegli, la tua chiarezza di idee su come vuoi che sia fatta la tua vita. Non ti fai nessuno scrupolo nel ribadire continuamente i confini della tua persona.

E dimmi, se invece io mi sentissi tagliato per

fare il padre, se volessi io dedicare la mia vita a un bambino che mi hai appena negato levandoti gli occhiali, affermando il tuo punto di vista e tornando all'occupazione da cui t'ho distolta; se volessi un figlio perché sto annaspando e non ne posso piú di tutelarti e agevolarti la vita in ogni modo mentre tu tieni la rotta e vai dritta senza mai voltarti dalla mia parte, senza preoccuparti di come mi sento e di cosa mi manca; se questo bambino potesse riempirmi di gioia; e, prima ancora di tutto questo, se te l'avessi chiesto soltanto perché per una volta tu mi dicessi di sí, senza passaggi intermedi, senza obiezioni, senza concessioni, solo per farmi felice?

E come la mettiamo adesso, dimmi, come risolviamo la questione? È un civile scambio di opinioni in cui ognuno mantiene la propria e si va avanti nonostante la diversità di vedute? Cosa siamo, in democrazia?

Pensi di avere archiviato l'argomento con quelle quattro battute ineccepibili, con quella motivazione laconica per cui non ti sei neanche presa il disturbo di alzare il culo dalla sedia?

E ora che si fa, io torno di là a radermi mentre tu resti qui a lavorare, poi mangiamo qualcosa tenendo gli occhi incollati alla televisione per non guardarci in faccia, tu non apri bocca e io neppure, ci teniamo il muso per un paio di giorni dopo di che mi faccio una ragione di quest'altro no e si riprende come al solito?

E se questa volta non andasse cosí? Se ti dicessi che tutt'a un tratto sono io a non volere piú un figlio, che avrei voluto uno stronzissimo sí, uno solo, una volta, questa, per un bambino, un figlio nostro; che non sopporto piú quel tuo amore misurato, contrattuale e contratto, che non rischia mai niente, non si compromette e non si sporca; se ti dicessi che non ti voglio piú, che non so che farmene di te, che mi piacerebbe tornare al giorno in cui l'ufficiale di stato civile mi ha fatto quella domanda cosí bella per rispondere seccamente di no e lasciarti lí davanti a tutti, magari aggiungendo semplicemente: «Mi dispiace», come hai fatto adesso tu con me?

Ma non aveva detto niente di tutto questo. Aveva fatto un po' la faccia offesa, era tornato in bagno, s'era ricoperto il viso di schiuma e aveva ripreso a radersi, sperando che lei lo raggiungesse per riparlarne.

Ma Licia, come immaginava, era rimasta in cucina a correggere i compiti. Cosí, dopo un po', con lo stomaco che bruciava, era tornato alla carica.

Lei non s'era mossa dalla sedia. Anzi, lo stava aspettando.

– Potevi dirmelo prima, – le aveva detto, con un tremore nella voce che ancora un po' e diventava singhiozzo.

– Prima di cosa? Di sposarci?

– Immagino di sí, – aveva detto Nicola, accorgendosi di avere appena pestato una merda.

– Perché, non mi avresti sposata?

– No, credo che l'avrei fatto lo stesso.

– Ah, credi.

– Lo sai che non avrebbe fatto alcuna differenza.

– Be', è molto consolante, ti ringrazio.

– Senti, sono io la vittima adesso. Non mi pare proprio il caso che faccia l'offesa tu.

– Figurati se mi offende sapere che avresti mandato all'aria il matrimonio se ti avessi detto per tempo di non volere figli. E dimmi, se non avessi potuto averne, sarebbe stato diverso?

Per un momento, Nicola aveva visto tutto sfocato. Si ribaltavano addirittura le parti, ora? Gli toccava anche sentirsi nel torto? La frustrazione gli era arrivata alla bocca:

– Vaffanculo, Licia.

– Vacci tu. Stronzo.

Il giorno dopo le aveva chiesto scusa. E del bambino non avrebbe parlato mai piú.

Irene è un'abitudinaria. Quando sta bene in un posto, non le va di cambiare. Incrociare i soliti sconosciuti, distinguere un quartiere dall'aria, riconoscere le macchie sulle scale di una stazione della metropolitana, è il suo modo di sentirsi a casa. Le piace ripetersi. Rispettare una continuità coreografica con i luoghi che considera suoi. Ne è pure gelosa. La possibilità che un giorno finisca senza che lei abbia rivisto una piazza, una strada, un arco sotto cui ama passare, la considera, letteralmente, un peccato. Vuole – per quanto trovi infantile questa sua pretesa – che i posti registrino la sua presenza. Se non timbra quel cartellino, è come se venisse meno a qualcosa.

Il bistrot che frequenta è piuttosto lontano dal suo ufficio. Per raggiungerlo, ci vogliono due fermate di metropolitana. Un po' troppe per il tempo della pausa pranzo, se il treno arriva in ritardo o è così stipato da non poterci nemmeno salire. Quando capita, ripiega sul bar dietro l'ufficio, dove vanno i suoi colleghi. Ma poi rimane con lo scontento per il resto della giornata.

Da bambina aveva un forno preferito dove comprava la merenda tutte le mattine prima di andare a scuola, e le piaceva da matti entrare e sentire il calore del pane. Un incontro, ecco cos'era, aveva deliberato qualche anno dopo, quando aveva imparato a dare i nomi alle cose. Io la mattina incontravo il pane.

Oggi è domenica, e si prende tutto il tempo che vuole, seduta al tavolo migliore del bistrot, dove sfoglia il giornale, legge un romanzo, mangia, beve, guarda la gente che entra e esce.

A ritrovarsela davanti tutti i giorni o quasi, viene un po' da domandarsi se una donna che se ne sta lí da sola per tanto tempo non cerchi compagnia. Che poi nel suo caso è anche vero. Quello che nessuno immagina (chissà poi perché) è che Irene sa esattamente come vuole che sia fatto l'uomo a cui permetterà di accompagnarla fuori dal locale. Quelli che la puntano, invece, ma proprio tutti (e sono tanti), pensano che abbia le idee confuse al riguardo, e quindi, banalmente, ci provano (che è come sperare di venire scambiati per chi non si è; andare, per cosí dire, all'appuntamento di un altro).

Irene è consapevole di esporsi all'equivoco, ma preferisce l'antropologia del bistrot alla penosità degli incontri combinati da (e quasi sempre a casa di) amici, all'insaputa di almeno uno dei due. Lí almeno (al bistrot) c'è un po' di autenticità.

Il belloccio dall'altra parte della sala saranno cinque minuti netti che la guarda. Praticamente un assedio. E meno male che è in compagnia. Magari fra un po' la ragazza gli rovescia il Bellini sulla crapa pelata e se ne va (da quando la fanno al cinema, la separazione con battesimo si pratica quasi quotidianamente, nei locali pubblici).

Per quanto sappia di piacere – e quasi mai succeda che la sua figura, specie quando si alza in piedi dopo un po' che è rimasta seduta, non susciti un silenzio ammirato e succube (come un allarme che chiunque si trovi nella stessa stanza sente) e quei tipici, repentini cambiamenti di discorso in cui si rifugiano gli uomini colpiti dalla sua bellezza –, Irene non riesce a non sentirsi in colpa quando qualcuno la guarda.

È un sintomo che ha imparato a riconoscere fin dalla prima volta in cui, poco piú che quindicenne, l'ha provato (è un pettegolezzo, s'è detta già allora, ecco cos'è, una voce falsa e malevola sul mio conto, non so da dove viene ma non le darò retta, non voglio sentirmi sbagliata, non lo sono) e ancora oggi, quando lo sente arrivare, fa blocco con tutta se stessa, abbassa lo sguardo e lo combatte.

A volte qualcuno se ne accorge e abbandona ogni proposito di corteggiamento seduta stante. Gli uomini facili prendono invece la sua rigidità come una forma di timidezza che è già un sí, e allora si fanno avanti, sperticandosi in penosi provini da cui escono puntualmente bocciati.

Questa è la trappola della bellezza, pensa Irene, se sei ben fatta il mondo si sente autorizzato ad averti o perlomeno a provarci, e cosí può avvicinarti, invaderti, parlarti anche se non rispondi e perfino se chiedi d'essere lasciata in pace. Detesto gli uomini frustrati per questo, e se sono brutti è anche peggio, non ne sopporto l'arroganza travestita da vittimismo, l'alibi della solitudine, quel sentirsi in diritto di rifarsi con te, fotterti nel senso piú specifico, derubarti e poi circolare liberi con la fedina penale o matrimoniale immacolata.

E poi guardateli, sono cosí prevedibili nell'approccio, striminziti nelle parole e impuniti nella sincerità, con quel pretendere di apparire simpatici e disinibiti subito, senza gradualità, senza riguardo e senza timidezza.

A volte Irene intrattiene se stessa classificando per modelli d'imitazione i poveracci che cercano di rimorchiarla.

C'è Colin Farrell, che si autoinvita al tavolo, si mette a sedere a gambe aperte, si spunta i capelli gelatinati sulla fronte e grattandosi la barba di due giorni biascica frasi tipo: «Mi sembra che tu ti stia annoiando». Fuma apposta per puzzare, infatti non aspira.

C'è Johnny Depp, che non si combina proprio tale e quale se no lo stampino risulterebbe al primo sguardo. Non è per ritegno che si trattiene ma perché, molto piú patologicamente, pensa di aggiungere un tocco personale al modello di riferimento, sestessizzandolo e addirittura convincendosi che prima o poi lo supererà. Investe su una vaga somiglianza con il Pirata dei Caraibi per scopiazzarne qualche dettaglio estetico diventato ormai celebre, tipo il pizzetto caprino (però con i capelli cortissimi), oppure i baffi a scopettone, e tre o quattro anelli da narcotrafficante alle dita, sperando che il riconoscimento del particolare conduca alla somiglianza per induzione. Non è scostumato come Colin (almeno chiede permesso prima di sedersi, cercando pure di sembrare inizialmente maldestro, in perfetto stile Johnny), e quando gli rispondi di no se ne va senza insistere. I baristi gli ridono dietro, ma poi gli vogliono bene.

Il fondo dei fondi si tocca con George Clooney, perché disgraziatamente va fortissimo fra i cinquanta/sessantenni che ancora accampano diritti sul piacere. Se li fai parlare ti dicono che solo oggi sanno godersi davvero la vita, altro che quand'erano giovani e arraffavano tutto quello che potevano senza scegliere. Sopportare la versione discount del sorriso appena accennato che dà colpetti angolari e aspetta, sornione, di produrre il suo effetto, è come assecondare uno psicopatico.

E potrebbe andare avanti con la galleria, se almeno la pagliacciata la divertisse.

Ma non è cosí. Perché se c'è una cosa che da quando ha lasciato suo marito ha smesso d'interessarle, quella è divertirsi.

Non che si sia incupita o depressa. Solo, ha ricominciato a prendere la vita sul serio. A stare attenta a quello che non vuole. E non ha voglia di ridere, perché per anni non l'ha piú fatto veramente. Rideva per lasciar cadere i discorsi che non voleva iniziare, per stringere le giunture che si allentavano, quel tanto che bastava perché tenessero ancora un po'.

È cosí che ci si perde per strada, che si diventa brutte copie di se stessi. Smussandosi, modificando il senso delle cose che si fanno (come ridere per non parlare, appunto), tradendo le proprie convinzioni o lasciando che l'altro le offenda o le svaluti, praticando la mansuetudine, considerando fisiologico, inevitabile e forse perfino giusto che il passare del tempo snaturi gli aspetti piú autentici del carattere, ridimensioni gli interessi, spenga le passioni, i desideri e soprattutto il desiderio.

Quand'era stato che avevano smesso di fare l'amore? E perché? Che cosa li aveva allontanati? Come succede che due corpi che si sono scelti perché si attraevano, dopo qualche anno si ritirino in se stessi e perdano confidenza; quale offesa reciproca si sono arrecati, perché non se la perdonano, perché non gli passa; e perché poi quando smettono di cercarsi non riescono neppure a dirselo, se pensano, o pensano di pensare, che quello che gli sta capitando succede un po' a tutti e non è poi cosí grave, basta guardarsi intorno e chiedere. Credi forse che Lucia e Federico o Roberto e Nina facciano l'amore? Domandaglielo, vai, e vedi cosa ti rispondono. No, non se lo dicono, non sottoscrivono questo luogo comune a cui di fatto aderiscono e tanto meno ci scherzano sopra: semplicemente tacciono, condividono l'omertà senza neanche bi-

sogno di concordarla e quella volta che fanno l'a-
more, se capita (ogni tre mesi? due?), è come se
pagassero la rata di un mutuo a tasso variabile con
un sollievo provvisorio, ben sapendo che il debito
continua a montare e arriverà il giorno in cui non
potranno pagare piú, e quando in una cena fra amici si tocca l'argomento a mo' di gioco di società (e
dopo un po' si avverte una strisciante incitazione
allo sfascio, quella diffusa, malevola intenzione
collettiva, tipica di questo genere di assemblea,
di processare il matrimonio o anche la meno im-
pegnativa convivenza usando i commensali come
imputati, in un crescendo di rivelazioni destinate
a generare una rissa da cui ogni coppia uscirebbe
con le ossa rotte, prendendo atto di un fallimento generale che farebbe sentire tutti risollevati) e
viene il loro turno di rendere testimonianza, soltanto allora dicono la verità (anche se per allusioni
e battutine), fingendo di essere i primi a stupirse-
ne, e ridono, barano sull'esagerazione, annacqua-
no la tragedia con l'ironia, fanno Woody Allen (e
se ne accorgono pure: la coincidenza li conforta,
addirittura gratifica), praticamente si fanno cavie
di se stessi, e però evitano di guardare il coniuge,
non perché temano che non gli regga il gioco o
possa metterlo in imbarazzo di proposito, ma perché una conferma cosí esplicita (e poi lí, davanti
a tutti) sulla realtà della loro condizione, sia pure
nei toni dello scherzo, potrebbe averlo gettato in
uno sconforto che non riuscirebbero a sopportare
se glielo vedessero in faccia, e loro stessi si rispec-
chiano in quel dolore sbugiardato, privati anche di

quel poco di senso che ancora davano al loro stare insieme, e già s'immaginano in macchina, di ritorno verso casa, le mani sul volante e lo sguardo fisso sulla strada mentre lei accanto non parla, e il suo profilo diventa sempre piú espressivo e antico, inaspettatamente piacevole e addirittura bello come avevano smesso di vederlo da tanto, allora pensano che forse è solo una questione di prospettive, che è l'angolazione giusta che hanno perso e basterebbe ritrovare quella per sistemare le cose.

Ho smesso di guardarti, ricordarti, interessarmi a come sei fatta e alle cose che mi piacevano di te, a come cammini e canticchi, a come sorridi e arricci il naso o ti volti quando ti chiamo; e tu hai smesso di essere bella quando ti sei accorta che non ti vedevo piú e cosí non hai fatto piú niente per rimanerlo, sei sfiorita per ripicca, e io con te. Voltandoci dall'altra parte abbiamo fatto in modo che questa malattia degenerativa partita da chissà quale equivoco si aggravasse e ci portasse via quello che avevamo, e tutto come non sapessimo cosa ci stava succedendo.

Ecco perché capire come sono andate le cose non serve, e riflettere sull'accaduto per trarne un insegnamento è un esercizio adolescenziale e scolastico in cui in fondo non crediamo neanche. Siamo adulti, sbagliamo continuamente e non impariamo da nulla. La comprensione di un errore, la sua localizzazione nel tempo e perfino l'individuazione delle cause che l'hanno provocato (quando è possibile individuarle) non ci impedisce di ripeterlo e non ci fa avanzare nella vita. Non siamo buoni docenti di noi stessi e le lezioni che crediamo d'imparare sono

imprecise e, in buona misura, truccate. Facciamo
l'esame, ma raccomandati. Falsifichiamo i dati e
anche le date pur di assolverci almeno in parte. La
nostra memoria è largamente fatta di pettegolezzi.
Omettiamo gli episodi apparentemente trascura-
bili (che l'altro ci ha condonato per generosità o
soltanto perché gli sono sfuggiti o non li ha visti
nella giusta luce) in cui siamo venuti fuori in tutta
la nostra sciatta vigliaccheria, perché se cosí non
facessimo dovremmo condannarci senza appello,
e il peggio è che la cosa non ci renderebbe migliori, fortificherebbe soltanto il rimorso. E sai che
bell'apprendere, una vita dedicata all'espiazione.
Sai che utilità sociale.

Se impariamo qualcosa la impariamo inciden-
talmente, quando non abbiamo neanche intenzione di farlo e siamo abbastanza deconcentrati e di-
sinteressati a noi stessi da sperimentare un gesto
che non avevamo mai compiuto prima e dal quale
vediamo discendere in tempi sorprendentemente
rapidi una cascata di piccoli effetti benefici che
svecchiano il nostro sguardo sulle cose e rendono
fattibili le scelte.

È cosí che Irene ha lasciato suo marito. Mica
era sicura di riuscirci. L'ha detto, è successo. Par-
lava e intanto fissava l'orologio sulla parete della
cucina. Avesse rimandato anche di un solo giorno non l'avrebbe piú fatto, perché la notte, si sa,
porta consiglio. Ma dove vado, cosa penso di fare,
chi credo di essere. Il buonsenso ti ha già ridimen-
sionato. Manco ti dovessi misurare col mercato e
pesare quanto vali.

È piuttosto volgare, il buonsenso. Abbassa il livello delle aspirazioni, valuta le possibilità di successo e soprattutto quelle di fallimento, calcola. Il coraggio, la sincerità e l'istinto non hanno nessuna possibilità di resistergli, se gli dai il tempo di organizzarsi e preparare la controffensiva. L'impulso che ci spinge a cambiare, il vento che rovina, non ha quegli argomenti, anzi spesso non ne ha affatto. Non si lascia corrompere da ragioni di convenienza e non pretende di aver ragione. Propone scelte estreme e irresponsabili e non promette risultati. Possiamo assecondarlo o sopprimerlo, prenderlo o lasciarlo, dire sí o no.

È questo il bello.

– Sai cosa pensavo ieri sera? Che non mi dispiacerebbe simulare la mia morte.

Nicola aveva sollevato lentamente la testa dal piatto tenendo gli occhi a mezz'asta. Licia aveva l'abitudine di spararle grosse, per vedere l'effetto che facevano. Soprattutto prima di addormentarsi le venivano di queste ispirazioni. Ma era a tavola che preferiva approfondire l'argomento.

– Non ho capito, scusa.

– Ma sí invece. Guarda che faccia hai fatto.

Tutti i mercoledí pranzavano al bistrot dietro casa. Era una loro tradizione. I camerieri cercavano di dargli sempre lo stesso tavolo.

– Touché. Mi hai proprio scandalizzato.

– La trovi di cattivo gusto come idea?

– A te come ti sembra?

Licia insegnava inglese in un liceo scientifico e due sere alla settimana teneva dei corsi di perfezionamento per uomini d'affari presso una scuola privata. Il mercoledí era il suo giorno libero.

– D'accordo, hai ragione, ma prova a pensarci un minuto. Non saresti curioso di travestirti, andare al tuo funerale e confonderti fra la gente per vedere chi è venuto e chi no, come reagiscono alla notizia i parenti e tutti gli altri?

– Ma neanche un poco, guarda.

Mangiavano sempre le stesse cose. Capitava che li servissero senza neanche prendere l'ordinazione. Qualcuno avrebbe potuto chiamare noia una simile devozione all'abitudine. Loro no.

– Dici cosí perché pensi alla morte. Pensa al funerale, invece. Devi concentrarti solo sul funerale.

– Cristo santo, Lí. Non ne ho nessuna intenzione.

Il menu era scritto con il gessetto su una lavagna di ardesia che attraversava l'intera parete centrale della sala, e nel mezzo era divisa da uno specchio rettangolare che dava profondità all'ambiente e coraggio a chi aveva voglia di specchiarsi.

Pavel, il cameriere, un ragazzo ucraino sui venticinque anni e con una cicatrice sulla fronte che gli stava a meraviglia, guardava lí dentro i clienti invece che in faccia, quando prendeva gli ordini.

– Io morirei dalla curiosità. Chissà se Amalia verrebbe a salutarmi per l'ultima volta.

Con Amalia aveva litigato l'estate prima. Una bella domenica s'era vista rifilare un'azione cosí meschina e gratuita da sentirsi autorizzata a pensare – come sempre si pensa quando qualcuno che fino al giorno prima consideravi amico si rivela un miserabile stronzo – che in vent'anni di frequentazione non aveva proprio capito con chi aveva a che fare.

Ma nessuno viene fuori all'improvviso. Quante occasioni ci sono in vent'anni perché una persona ti dimostri com'è fatta? Sei tu – si era detta Licia – che ti giri dall'altra parte o t'illudi che non ti sarà riservato lo stesso trattamento. Poi viene il tuo turno (perché viene), e cadi dalle nuvole. Oh mio Dio, questa proprio non me l'aspettavo.

– Non cambierebbe le cose, – aveva commentato Nicola spostando lo sguardo su una caricatura di Buster Keaton appesa alla parete di fronte.

– Lo so. Vorrei solo vedere la sua faccia.

Poi al funerale Amalia c'era andata. E fu per via di questa conversazione, del pensiero che forse Licia sarebbe stata contenta che ci fosse, che Nicola non riusciva a smettere di guardarla. Per vedere la sua faccia.

Per molto tempo dopo l'incidente Nicola era tornato ossessivamente al dialogo del bistrot, alla profetica inopportunità di quello scherzo visionario che, per quanto si vergognasse di pensarlo, non poteva impedirsi di considerare connesso alla disgrazia, quasi che Licia, azzardando con tanta leggerezza delle previsioni sulla propria morte, avesse reso meno accidentale il fatto che un camion uscisse di strada e la investisse mentre tornava da scuola in bicicletta. Cosí era piú difficile, quasi artificiale, archiviare l'accaduto nella categoria della fatalità.

– Meglio se teneva la bocca chiusa, – si trovò a dire impulsivamente a un vecchio amico dopo avergli raccontato la cosa, quasi come se lei avesse reso una testimonianza scomoda, fatto un nome che non doveva.

– Facciamo che questa cosa non l'hai nemmeno detta, – rispose l'altro in imbarazzo.

– Hai ragione, – disse Nicola, – non darmi retta.

Da allora quel pensiero rimase al di là delle labbra.

Sul tavolo dell'obitorio, Licia sembrava scandalizzata. In faccia le era rimasta tutta la riprovazione e il biasimo d'essere stata presa cosí presto e cosí male; come se avesse voluto lasciare scritto qualcosa prima di morire.

Mentre la fissava, incredulo che l'avessero chiamato al telefono, che gli avessero detto di andare subito, che fosse uscito dall'ufficio senza neanche avvisare (perché non sapeva neanche cosa stava facendo), che il taxi lo avesse scaricato lontano dall'ingresso principale per via dei lavori in corso costringendolo a camminare a lungo fra i viali dell'ospedale prima che qualcuno gli indicasse il pronto soccorso e da lí, pochi minuti dopo, l'obitorio (la parola lo aveva colpito come una bestemmia, non credeva neanche di averla mai sentita pronunciare e tantomeno di averla usata, «Non è di me che si tratta, non posso essere io, non è a me che sta capitando questo»: è cosí che pensava perché è cosí che si pensa; quando viviamo la tragedia ci sembra d'interpretare un ruolo non nostro, di essere finiti sul palcoscenico per via di un madornale equivoco, eppure, come nei sogni, non riusciamo a usare la voce, non protestiamo né muoviamo un dito perché la faccenda si chiarisca, anzi ci lasciamo scritturare, assecondiamo la scena, impariamo la parte nell'atto stesso d'interpretarla, come se non potessimo fare diversamente, come se in platea ci fosse un pubblico che non merita d'essere deluso e noi per primi ci sentissimo in dovere di rispettarlo; è strano, siamo impreparati ma ci alziamo volontari dal posto, ci viene chiesto di fare ciò che non sappiamo fare e nemmeno crediamo ci competa eppure ubbidiamo all'ordine e facciamo il possibile per eseguirlo), lí, davanti al povero corpo di Licia, per un attimo inspiegabilmente nitido Nicola rivide il poster di Buster Keaton appeso alla parete del bistrot. Rilesse finanche una frase nell'angolo in alto a sinistra, «Un des 4 grands».

Una sovrapposizione che da quel momento, e per il resto della sua vita, gli avrebbe procurato una fitta al centro esatto del petto ogni volta che, saltando fra i canali con il telecomando, si fosse imbattuto in qualche vecchio film senza sonoro dove quel buffo ed elegante signore restava curiosamente impassibile a qualsiasi incidente o disavventura, perché non c'era fine del mondo che lo smuovesse, come se la mestizia che portava in viso e gli piegava appena un po' la testa di lato non conoscesse tragedia o felicità in grado di sopprimerla.

E vedi se la smette, quello.

Irene è una persona mite. Non le piace litigare, e meno ancora vincere. Trova stupido far valere – come si dice – le proprie ragioni, perché pensa che una buona ragione valga in sé. È per questo che abbandona subito il campo quando qualcuno la sfida, e poco le importa se il suo disinteresse viene scambiato per viltà.

Quello che soprattutto non sopporta dello scontro con l'altro, tanto piú se sconosciuto, è l'impoverimento che implica. Perché per litigare, è inevitabile, bisogna diventare un po' meschini.

Dalle avances dei disturbatori si è sempre difesa con la noncuranza e l'impassibilità, che dopo un po' demotivano anche i piú ostinati. Ma comincia a non poterne piú del cretino accoppiato che dall'altro capo della sala continua a molestarla con gli occhi.

Se n'è accorto anche Pavel, che già da un po' si aggira fra i tavoli trattenendosi a stento dall'intervenire.

Quello che piú la irrita è che gli sguardi che le lancia questo estraneo d'insignificante bellezza non hanno niente di furtivo. Non sono quelli di un uomo che vorrebbe controllare la sua attrazione e non ci riesce (e cosí si nasconde e la spia, abbassando gli occhi quando incontra i suoi, magari guadagnandoci in timidezza); al contrario: la guarda come ne avesse il diritto.

Non c'è traccia di disagio in lui, e – quel che è peggio – nemmeno di ammirazione. Vuole intimidirla, sottometterla. Usa una strategia da maschio che non deve chiedere mai. Da uomo-Denim. Approfitta delle distrazioni momentanee della ragazza che lo accompagna per piantare gli occhi addosso a Irene aspettandosi che la sua invadenza sia apprezzata, assecondata e promossa, presumendo un'intesa che non c'è affatto.

È questa pretesa che piú di tutto la offende.

Chi cazzo crede di essere, questo qua.

Pavel, che fino a poco fa non sapeva di avere un debole per Irene, comincia a grattarsi dappertutto anche se non gli prude niente.

Il collega del banco gli domanda che gli prende, infatti.

Pavel gli chiede di dargli un calice e una bottiglia di Prosecco già aperta, in bella mostra fra i vini alla mescita.

Quello dice Eh?

Lui risponde Sbrigati.

Allora l'altro lo asseconda, ma mica è convinto di far bene.

Pavel prende calice e bottiglia e va dritto al ta-

volo di Irene. Si piazza fra lei e Denim, facendo-
le da scudo.

Irene lo guarda confusa mentre Pavel le serve il
Prosecco come se lei l'avesse ordinato.

– Se, se vuole, ci, ci penso io a quello, – le dice a
bassa voce senza riuscire a guardarla, con un nodo
d'emozione che proprio non riesce a sbrogliare.

Irene gli dedica uno di quei sorrisi a cui di regola seguirebbe un bacio che dichiara ufficialmente
aperta un'amicizia; poi con la testa fa segno di no.

Pavel si allontana disilluso mentre la ragazza di
Denim si alza dal tavolo e va al buffet a comporre
un antipasto.

Lui ne approfitta immediatamente per riprendere
l'assedio. A questo punto ha perso ogni contegno,
se mai ne avesse avuto uno.

Irene resta curiosamente calma quando Denim
comincia a muovere le labbra, sillabandole un numero di telefono; addirittura tira fuori il cellulare
e lo registra in memoria, facendogli anche ripetere
le ultime due cifre.

Da dietro il banco (dov'è andato a rintanarsi),
Pavel vorrebbe tanto non aver visto quello che è
appena successo. È stranito e deluso, anche se qualcosa non gli quadra.

Denim gonfia le narici. È cosí soddisfatto di
sé che diventa amorevolissimo con la ragazza che
torna al tavolo con il piatto stracolmo di affettati
e qualche verdura (è tipico del ladro che pensa di
aver messo al sicuro la refurtiva, avere degli slanci
affettivi addirittura sinceri).

Irene ha un moto di compassione per quella ragazza cosí inconsapevole. Resta per qualche minuto a guardare i fidanzatini imboccarsi l'un l'altro, poi prende il cellulare, si alza e va al banco, a poca distanza dal loro tavolo, di spalle a lui, di fronte a lei.

Denim la guarda con la coda dell'occhio con una punta di riprovazione, quasi che l'iniziativa di Irene non fosse prevista e lui si sentisse in diritto di biasimarla per averla presa.

Irene si mette comoda su uno degli sgabelli alti, impugna il telefonino e chiama il numero memorizzato poco prima.

Pavel, capita l'antifona, gongola. Addirittura mette un braccio intorno alle spalle del collega.

Il cellulare suona nel taschino di Denim.

Che si drizza nella schiena come se gli avessero puntato una pistola alle spalle.

Tira fuori il telefonino al terzo squillo.

Fissa lo schermo.

Non risponde.

La ragazza lo guarda interdetta.

– Chi è? – domanda.

– Non lo so, è un numero sconosciuto, – risponde Denim. E un leggero sudore inizia a brinargli la fronte.

– Beh, rispondi, – dice lei mentre la suoneria infierisce.

– Non mi va, sto mangiando. Che richiamino, – fa lui; quindi silenzia il telefono e se lo rimette nel taschino. Ma ha la mano tremula, e troppa fretta di chiudere l'argomento.

Alle sue spalle, Irene allontana il cellulare dagli occhi e lo fissa con aria apertamente frastornata.

La coincidenza viene immediatamente registra-
ta dalla ragazza. Che smette di masticare e posa la
forchetta di traverso sul piatto.

– Che hai, – chiede lui cadendo dalle nuvole.

– Non te l'ho mai visto fare, prima.

– Fare cosa.

– Evitare di rispondere e nascondere il telefono.

– Guarda che non ho nascosto proprio niente, è
solo che non ho voglia di rispondere a numeri scon…

– Ti suona di nuovo.

– Eh?

– Il telefono, – precisa la ragazza indicandogli il
taschino della giacca. – Vibra.

E come se facesse due più due, trascina lo sguardo in direzione di Irene.

Che, come si aspettava, ha di nuovo il cellulare
all'orecchio.

– Ancora? – fa Denim tirando fuori il telefono
che gli protesta nella mano, come non si spiegasse
lo strano fenomeno.

A questo punto la ragazza fissa ufficialmente
Irene.

Che ricambia, ratificando i suoi sospetti.

Lui, come non potesse più esimersi dal farlo, si volta verso Irene, che in quell'esatto momento preme il tasto di stop della telefonata,
dichiarando la fine delle vibrazioni del cellulare
di Denim.

La ragazza sposta gli occhi sull'uomo che fino
a poco fa imboccava come un bambino e piega le
labbra in un sorriso di disprezzo.

Lui non dice una parola.

E lei neanche. Inforca gli occhiali da sole, raccoglie la borsa dallo schienale della sedia, si alza dal tavolo e si avvia verso l'uscita.

Irene guarda Pavel e il suo collega. Poco ci manca che battano il cinque.

Denim, diventato color barbabietola, corre dietro alla ragazza cercando penosamente di giustificarsi, sommerso dagli sguardi del pubblico presente, che già non vede l'ora di raccontare l'accaduto una volta uscito di lí.

La ragazza non lo ascolta neanche, e scompare dietro l'angolo della porta.

Lui sta per buttarsi all'inseguimento quando una voce alle spalle lo richiama all'ordine.

– Ehi, bello! Un momento! – urla Pavel, uscendo di corsa dal banco. – Il conto!

E lo raggiunge sulla porta, sventolandogli la ricevuta contro a mo' di guanto di sfida.

All'inizio, Nicola non sapeva cosa farsene di tutta quella libertà. Da un giorno all'altro, la morte di Licia gli aveva svincolato una quantità di tempo che non era preparato a gestire, benché per anni non avesse pensato ad altro. Era come se avesse ricevuto una cospicua eredità da un parente lontano che neanche conosceva, e provasse l'imbarazzo di usarla.

I giorni si erano svuotati. Duravano il doppio. Poteva farne quello che voleva. Pensava in termini di settimane, addirittura di mesi. Ogni cosa era diventata dilazionabile.

Con una lucidità che non gli era sembrata neanche sua (quando mai era stato capace di ragionare cosí efficacemente, fidandosi delle proprie analisi al primo colpo, per di piú?), aveva scannerizzato i suoi desideri dall'alto di quell'imprevista ricchezza, e li aveva velocemente ridotti a due o tre. Tutti gli altri, su cui pure aveva fantasticato nel corso degli anni, si erano polverizzati in un istante. Si sentiva stupido anche ad averci messo il pensiero.

«Tutto qui?», s'era detto una volta elencate le poche cose a cui poteva finalmente dedicarsi.

In quel momento gli era sembrato di capire che

la libertà consistesse nel potersi arricchire e non farlo. Nell'usare la minima parte di un patrimonio, lasciando intatto tutto il resto.

Col tempo aveva poi verificato che questa sua intuizione era giusta. C'era qualcosa di miserevole nel dilapidare la libertà. Usarla le toglieva valore, la involgariva, l'abbassava di livello. La faceva diventare un potere qualsiasi. Era invece nel centellinarla, e piú ancora nel rinunciarci, che Nicola si sentiva veramente libero. Trovava che il bello della libertà fosse nel minacciare di servirsene.

Cosí non si concedeva stravizi e nemmeno vizi, non faceva le ore piccole, non andava a caccia di occasioni di nessun tipo né cercava di recuperare crediti. Di sera usciva saltuariamente, e con qualche vecchio amico di sempre. L'unico lusso che si permetteva era lasciare che il tempo andasse per conto suo, senza stargli continuamente addosso.

E hai detto niente, hai detto.

Aveva, come dire, fatto esplodere le caselle della tabella di marcia (quella staffetta quotidiana che in fondo non aveva mai capito perché s'impegnasse cosí tanto a rispettare). Cominciava una cosa e non si sentiva tenuto a finirla. Mangiava quando aveva fame e dormiva quando aveva sonno, compiacendosi nel fare dispetto all'orologio.

Ogni sera dedicava almeno un'ora a mettere per iscritto i suoi sbagli. Redigeva un bilancio inutile del suo rapporto con Licia raccontando a se stesso i cedimenti, i compromessi, le reticenze, i litigi mancati, tutte le volte in cui era stato zitto invece di parlare; lo strano, fastidioso imbarazzo che lo prendeva davanti a lei e non era mai riuscito ad ammettere con se stesso prima della sua morte (come un timore di deluderla, quel sentirsi in dovere di facilitarle la vita sempre e comunque, il non sopportare di vederla contrariata per un motivo qualsiasi, dandosi subito da fare per risolvere le cose al suo posto).

Non riscriveva la loro storia, non gli interessava questo. Tanto meno avrebbe voluto che qualcuno la leggesse. Scriveva per farsi rapporto. Per schedare i suoi errori e tenere ben presente quello che non voleva.

Quando sceglievo le parole.

L'attenzione che usavo nel comporre le frasi in modo che risultassero corrette, mai ambigue, rispettose.

Il timore della tua riprovazione.

La prontezza nel darti ragione.

Il lasciare le cose come stavano.

La mia incapacità di cambiarti.

Pensare ancora adesso che non avevo il diritto di farlo.

La buona educazione con cui ci trattavamo.

L'aver pensato che tu contassi più della felicità.

La fiducia in te che non ho mai perso.

Gli anni che passavano.

Tornando a casa, Irene fa i conti con la spossa-
tezza che, come si aspettava, ha seguito a ruota
l'entusiasmo per la brillante prestazione al bistrot.

È la solita solfa, quella sequenza di eccitazione
e tristezza che conoscono bene i tossici. Un suo
amico lo chiama «il senso di colpa della felicità».

Pensa alla ragazza, alla compostezza della sua
umiliazione. Ai tanti modi indiretti in cui sua madre e suo padre, che non conosce, gliel'avranno in-
segnata. Alla disinvoltura con cui ha inforcato gli
occhiali scuri un momento prima di alzarsi e andar
via, convinta d'essere spontanea.

Una donna tronca col suo uomo in un locale pubblico: prima di lasciare la sala deve mettersi gli occhiali da sole. È inevitabile. Non può uscire di scena
senza offrire una versione già oscurata di se stessa.

È un canone gestuale, uno dei tanti che s'instau-
rano al riprodursi di condizioni ambientali tipi-
che. Fanno da soli, noi non c'entriamo granché.

Chissà come sta, adesso, pensa Irene. Dov'è andata. Se sta camminando senza meta per la città, se
è salita in metropolitana e ora sta seduta a guarda-

re le mani degli altri, se ha telefonato a qualcuno di cui si fida. A chi racconterà questo miserabile episodio che ricorderà per tutta la vita, e come lo modificherà nel riferirlo. Dove farà i tagli, e quali saranno.

Perché li farà, questo è certo.

Non si può essere fedeli nel raccontare la fine di una storia. Anche se sembra un controsenso (ma è solo una delle tante ipocrisie necessarie che ci toccano), quando viene il momento di dare la notizia siamo portati a non dir male della persona che abbiamo (o ci ha) lasciato. Anche se ci ha ferito piú di chiunque altro, e non riusciremmo a perdonarla nemmeno se volessimo. Dobbiamo fare informazione, e temiamo l'apprezzamento del pubblico. Abbiamo paura che non capisca, che giudichi dal titolo, senza leggere; e in questo modo faccia scempio di tutto quello che c'era dietro e prima, tutto quello che per noi ha avuto senso e valore ed era nostro.

Allora studiamo una versione ufficiale della fine, che esponiamo sereni, pazientemente disposti a spiegare, come se il nostro atteggiamento benevolo verso le ragioni dell'altro, cosí diverse dalle nostre, facesse passare l'idea che non abbiamo fallito del tutto.

Non è il semplice orgoglio che ci spinge a impegnarci in questa finzione (a volte costruita fin nei minimi dettagli, con pause, sospensioni e calcolate incertezze che affiniamo di atto in atto): è l'unico modo, per quanto disperato e falso, che ci resta per non tradire qualcosa che abbiamo amato.

Irene si sente responsabile del lavoro sporco che ora tocca alla ragazza del bistrot. Benché sappia di non averne colpa, è stata lei a consegnarle una conclusione cosí platealmente squallida di una storia in cui, con tutta evidenza, quella giovane donna credeva.

Avrebbe potuto ignorare le avances di quel miserabile. Cambiare tavolo. O voltarsi di spalle. O andarsene. Ma ha scelto di non farlo. È rimasta al suo posto, ha affrontato il suo molestatore e l'ha battuto. Sapeva di dover passare sulla ragazza per arrivare a lui, e l'ha fatto. E questa consapevolezza, allo stesso tempo, la sgomenta e la fortifica. Non le era mai successo di agire con tanta cinica esattezza, prima d'ora. Si piace e non si piace. Non si sente in colpa. E non ha paura.

Irene è cambiata. Non è piú disposta a cedere. Ha un altro vento che la spinge.

Apre la porta di casa, si toglie le scarpe nell'ingresso, appende la borsa all'attaccapanni, sorride a una vecchia foto di sua madre bambina aggrappata a un salvagente in mezzo al mare, va in cucina scalza cercando il freddo del pavimento, prende una bottiglia d'acqua dal frigorifero, beve a canna, controlla le chiamate arrivate sul fisso, rimette la bottiglia in frigorifero, accende la tv e la spegne, va in bagno, fa scorrere l'acqua della doccia, si spoglia, infila i capelli in una cuffia di plastica e non sa che l'uomo di cui vorrebbe innamorarsi

è entrato nel bistrot pochi minuti dopo che lei è
andata via e resterà lí per piú di un'ora ad aspet-
tarla, perché è lí, per ragioni che non conoscono,
che tutti e due hanno deciso che s'incontreranno,
e Nicola, che torna al bistrot per la prima volta
dopo tanto tempo, ha il cuore pieno d'attesa ed è
convinto, senza che nulla lo autorizzi a pensarlo,
che la riconoscerebbe al primo sguardo, Irene, se
soltanto la vedesse.

Nicola si ferma a pochi passi dall'entrata del bistrot e prende qualche lungo respiro, domandandosi di cosa ha paura.

Gli torna in mente un episodio capitato molti anni prima, un giorno che era in compagnia di un vecchio amico appena rientrato in città dopo una lunga permanenza in una comunità di recupero per alcolisti.

Camminavano nel centro storico quando quello, tutt'a un tratto, s'era girato di spalle e aveva cominciato ad allontanarsi a passo svelto, come se avesse visto il demonio.

Nicola gli era andato subito dietro chiedendogli che gli era preso, perché scappava cosí, e intanto si guardava le spalle, preparandosi all'arrivo di qualcuno che da un momento all'altro sarebbe venuto ad attaccare briga.

Allora il suo amico l'aveva tranquillizzato spiegandogli che quando esci dall'alcool e torni a casa, devi stare molto attento ai percorsi (cosa che lui non aveva fatto, lasciandosi distrarre dalle chiacchiere) perché, se senza accorgertene capiti nelle vicinanze dei posti che frequentavi, ti vengono degli attacchi di terrore, come se il passato ti risucchiasse. E che era tipico del venire fuori dalla dipendenza, il vedere i fantasmi.

Aveva usato proprio questa espressione, vedere i fantasmi.

E Nicola aveva detto che anche lui ogni tanto li vedeva.

– Tu non scappi, però, – aveva detto l'amico. – È questa la differenza.

Adesso Nicola ha l'impressione di sentirsi come il suo amico nei paraggi delle viuzze che bazzicava quando beveva. Perché è in questo locale, forse piú che a casa, che ha lasciato l'immagine viva di Licia. E anche lui, come il suo amico, ha paura che il passato lo risucchi.

Sa che una volta entrato la vedrà muoversi, gesticolare, salutare, alzarsi dal tavolo e attraversare la sala per andare alla toilette, commentare i piatti, sollevare l'indice destro e fare il nome del pezzo che in quel momento si diffonde dagli altoparlanti («Uh, senti, *Mind Games*»; «È *I've Been Loving You Too Long*, questa»); ma non è affatto convinto che questa orchestrina di ricordi, tutto lo show che il fantasma sta allestendo per lui, gli procurerà il rimpianto che dovrebbe. E la previsione della propria indifferenza lo disturba. Se ne andrebbe, se non avesse deciso di accettarsi com'è.

Questo pensiero gli dà una vampa d'entusiasmo. Varca la soglia del locale e avverte la stessa sensazione di tridimensionalità che si prova nell'entrare in scena venendo dal retropalco, quell'improvviso cambio di prospettiva che amplifica i rumori e svela gli oggetti, rendendoli subito meno appariscenti e piú veri, quasi che le cose, compreso tu che ci sei in mezzo, esistessero di piú.

Tutto ricomincia a muoversi in quel momento, come se entrando nel bistrot Nicola avesse schiacciato per la seconda volta il tasto di pausa che aveva premuto alla morte di Licia.

Non è cambiato niente, non hanno spostato niente. Anche Buster Keaton è rimasto dov'era, sulla parete di fronte al loro tavolo che adesso è occupato da due fidanzati giovanissimi che in apparenza si dividono una zuppa, ma di fatto sono lí per sbaciucchiarsi.

Nicola guarda quel manifesto che lo addolora e lo irrita per la casualità della sua importanza. È arrabbiato con la sua mente che si permette queste libere associazioni e gliele stampa nella memoria a sua insaputa e qualche volta contro la sua volontà. Con questo amore scriteriato e bambino che ogni tanto esce da lui e si attacca alla prima cosa che trova, alterando il suo modo di sentire, di ricordare e anche di soffrire.

Non voleva che Buster Keaton diventasse il Cristo di Licia, non è responsabile dell'accostamento. Ma è successo, e non può farci niente. Non possiamo farci niente se in un momento non necessariamente solenne della vita, la nostra testa seleziona un oggetto oppure un sorriso, una parola mangiucchiata, una smorfia (debolezza, forse vergogna), un gesto spezzato e piccolissimo che da allora in avanti diventa conduttore di un sentimento che ci accompagnerà negli anni a venire, anche se arriverà il giorno in cui ripensando a quell'oggetto, quel sorriso, quella parola o quel gesto non proveremo piú nulla.

Il dolore e la felicità sono fatti soprattutto di cianfrusaglie, paccottiglia, ingombri da soffitta di cui non riusciamo a disfarci anche quando abbiamo smesso definitivamente di usarli ed escludiamo che ci possano tornare utili. Non siamo responsabili dei nostri sentimenti né del flusso che li causa o li alimenta e tutto sommato neanche delle nostre azioni, anche se poi dobbiamo risponderne (e farlo anche se nessuno ce lo chiede), com'è giusto che sia. Agiamo quasi sempre d'impulso e molto meno sulla base di un calcolo. Chi pianifica e si muove solo al termine di un'attenta valutazione dei pro e dei contro, chi realizza soltanto quello che progetta, di fatto si perde la parte piú interessante, e lo sa. Anche nello scegliere responsabilmente c'è una quota d'irresponsabilità, la messa in conto di una perdita. Forse si agisce sempre a costo di qualcosa.

Nicola va al banco, si siede a uno sgabello e da lí punta i due innamorati, preparandosi a prendere il loro posto appena se ne andranno.

Nell'aria c'è odore di basilico. Il tintinnio dei bicchieri, come un verso degli oggetti in sottofondo. Una canzone che a un certo punto fa: *Lacrimogeni e sirene | funerali e matrimoni | all'uscita delle chiese*. Una cameriera che non ha mai visto.

Il ragazzo dietro al banco con l'aria perennemente desolata, che sembra non riconoscerlo neanche quando Nicola appoggia il viso sulla mano, lo saluta e gli chiede un calice di rosso.

«Chissà se è lui che è poco fisionomista o io che ho una faccia che si dimentica», pensa; e si guarda intorno sperando di ritrovare il cameriere gentile che qualche volta li serviva senza neanche prendere l'ordine.

Manco si fosse sentito chiamare, Pavel sbuca dalla cucina e lo vede, rivolgendogli un sorriso che per poco non lo commuove.

Lo raggiunge al banco e si strofina la mano destra sul grembiule prima di tendergliela. Un gesto antico, deferente e confidenziale insieme, che Nicola ha visto fare tante volte al nonno anche con lui, quando capitava che lo raggiungesse nel campo per dirgli che era pronto da mangiare, e il nonno, prima di mettergli la mano sulla spalla per rientrare, se la ripuliva sulla canottiera.

Non gli sembrava tanto un atto di umiltà, dovuto alla vergogna di fare un lavoro che sporca, e neppure un automatismo. Nell'insufficienza igienica di quel gesto, nel suo valore tutto sommato simbolico, Nicola riconosceva piuttosto uno stile, un azzeramento dei convenevoli, una traduzione immediata della forma in sostanza.

Era in questo approccio essenziale alle cose, in questo ripulirsi la mano alla meno peggio prima di darla all'altro (fosse stato il sindaco del paese o tuo nipote che veniva a dirti ch'era pronto in tavola), che Nicola coglieva i tratti di un'eleganza che avrebbe voluto fare sua e pensava conseguisse naturalmente alla scelta di un lavoro manuale (o meglio, corporeo).

È sorpreso e compiaciuto che quel gesto ancora si conservi, che sia arrivato fin qui, che anche questo ragazzo lo usi. Lo ammira; forse un po' addirittura lo invidia.

– Che bello rivederla, – dice Pavel con una discrezione che allude chiaramente al suo dramma, – come sta, dottore?

Nicola gli stringe la mano con una tale forza che Pavel lo guarda negli occhi come si aspettasse d'essere abbracciato di lí a un momento.

E i pensieri di Nicola incrociano un altro ricordo.

Un giorno di tanti anni prima, andando all'università, aveva bucato sull'autostrada e s'era fermato in una piazzola per sostituire la gomma.

Aveva appena smontato la ruota e tirato fuori quella di scorta quando era arrivata un'altra macchina da cui era sceso un signore alto, magro ed elegantissimo che temeva di aver preso un'uscita sbagliata e aveva bisogno di qualche indicazione.

Nicola aveva riconosciuto la voce prima ancora di guardarlo in faccia.

Ma vedi, s'era detto, Walter Chiari.

E subito s'era guardato le mani imbrattate e la camicia mezza fuori, un po' in imbarazzo nel farsi vedere da Walter Chiari in quello stato.

Poi aveva posato la ruota per terra e s'era messo a spiegare, fingendo di non sapere con chi parlasse, perché non sopportava quelli che quando incappano in un personaggio pubblico si comportano come se avessero fatto il servizio militare insieme.

Walter Chiari annuiva alle indicazioni di Nicola e ogni tanto diceva qualcosa, cosí, per cortesia, oppure ripeteva la coda delle frasi e i nomi delle uscite, per essere sicuro di aver capito e memorizzare le istruzioni ricevute, e quello che piú aveva colpito Nicola in quella situazione, ma proprio fino a lasciarlo stupefatto (benché lui per primo trovasse balorda l'importanza che stava dando a quel particolare), era quanto la voce di Walter Chiari fosse uguale a quella di Walter Chiari.

E il bello era che non aveva dubbi che si trattasse di lui. Non era uno che gli somigliava, era Walter Chiari. Gli stava anche spiegando dov'era che doveva andare, per la miseria. Eppure non poteva fare a meno di ripetersi Ma guarda, ha la stessa voce di Walter Chiari.

A un certo punto s'era incasinato con un verbo che non riusciva piú a coniugare (forse per via della timidezza che gli dava la voce di Walter Chiari dal vivo, cosí incredibilmente identica a quella di Walter Chiari in tv), aveva balbettato qualcosa e poi s'era interrotto, lasciando la frase a metà.

Al che Walter Chiari lo aveva guardato come a dire Che ti prende.

E lui aveva risposto di scusarlo, che era un po' emozionato.

E di nuovo scena muta.

Con sospiro, pure.

Walter Chiari era scoppiato in una risata bellissima, quasi felice, schiaffeggiandosi anche la gamba destra e poi, sempre continuando a ridere, ma di quelle risate che sono tutte amicizia, e non ci si trova traccia di burla manco a usare la malafede, lo aveva ringraziato della sua gentilezza e gli aveva teso la mano.

Nicola c'era un po' rimasto, era imbrattato di grasso quasi fino ai gomiti e aveva ancora lo svitabulloni in una mano, cosí gli aveva offerto la spalla per non sporcarlo, e Walter Chiari, da quel signore che era, per tutta risposta gli aveva afferrato le mani luride e gliele aveva strette nelle sue, ma forte, fregandosene apertamente d'inzaccherarsi.

– Grazie, grazie ancora, sei stato gentilissimo, davvero, – gli aveva detto passando a un tu che a Nicola aveva fatto un piacere di quelli che non si possono neanche spiegare, tanto è il piacere che fanno.

Poi era tornato alla macchina ed era ripartito, salutandolo di nuovo con la mano nell'andare via.

Nicola era rimasto immobile a sorridere per cinque minuti buoni prima di ricordarsi di cambiare la ruota.

– Mi dispiace tanto per la signora. Le volevo telefonare, quando ho saputo, – dice Pavel, mentre Nicola gli lascia la mano e il ricordo di Walter Chiari sfuma insieme all'immagine di lui che lo saluta dalla macchina.

– E perché non l'hai fatto? Ne sarei stato contento.

– Non ho il suo numero.

– Potevi cercarmi sull'elenco, il mio nome lo sai.

A proposito, piantala di darmi del lei, mi chiamo Nicola.

Pavel esita, come trattenesse le parole o non trovasse quelle che gli servono.

E Nicola, di rincalzo, gli cerca gli occhi per capire.

– Se non lo faccio subito si offende? – domanda timidamente il ragazzo.

– In che senso, scusa?

– È solo che, come le posso dire, non mi viene cosí da un momento all'altro. Magari la prossima volta?

Nicola annuisce ripetutamente, man mano che il concetto espresso da Pavel prende forma e si dilata, diventando piú ampio di quello che comunica.

La gente ha paura di dire quello che pensa. Perché se ne vergogna. Specie se le capita di farsi delle domande un po' bislacche, ma belle. Tipo perché certe cose vanno in un modo anziché in un altro. E vorrebbe inalberarsi un attimo, ma non lo fa. Vive molto piú tranquilla se si associa al pensiero comune, che poi è l'interpretazione ufficiale della realtà, il bugiardino delle relazioni umane. Invece, chi ha pensieri sghembi e si permette addirittura di esprimerli, si complica la vita. Rischia di non piacere. Di essere frainteso, o rifiutato. Di offendere, addirittura. È per questo che le persone nascondono quel che pensano, e in questo modo finiscono per fare quello che non vogliono (e poi non si piacciono): tipo dare del tu a qualcuno cosí a comando, invece di dire, senza che ci sia niente di male nel dirlo (come ha appena fatto Pavel, ap-

punto) che il passaggio dal lei al tu, specie se il lei
è durato a lungo, richiede un clic che o ti scatta
o non ti scatta, e non è affatto detto che ti scatti
solo perché l'altro te l'ha chiesto; e tu nemmeno
hai detto di no, anzi hai tutta l'intenzione di dire
sí, solo vorresti che ti venisse spontaneo, vorresti
sentirtelo nelle orecchie quel clic.

Invece la pratica delle relazioni sociali è fatta
di queste reciprocità dovute all'istante, di ade-
sioni immediate; e se tu ti prendi del tempo o ti
limiti anche solo a pensarci prima di dire sí, io
mi sento in diritto di biasimarti, anzi addirittura mi offendo.

Funziona cosí anche nell'amore, dove si tace molto piú di quanto si dica. Persino nell'amicizia, che
dovrebbe essere il luogo dove la parola non conosce
inibizioni e divieti. Ci censuriamo continuamente
per paura di deludere, offendere, restare soli. Non
difendiamo i nostri pensieri e li svendiamo per poco o niente, barattandoli con la dose minima di
quieto vivere che ci lascia in quella tollerabile infelicità che non capiamo nemmeno di cosa sia fatta,
esattamente. Siamo piuttosto ignoranti in materia
d'infelicità, soprattutto della nostra.

È per via di questa reticenza che quando ritro-
viamo i nostri pensieri nei libri, sembra che ce li
tolgano di bocca con tutte le parole. Allora li ri-
valutiamo. Ci viene voglia di riprenderceli, di di-
fenderli. In un certo senso, cominciamo a parlare.

Uno scrittore, sta pensando adesso Nicola, fa
quello che ha appena fatto Pavel.

– Hai ragione. Hai assolutamente ragione, – risponde. – Prenditi il tempo che vuoi.

E dà un sorso al calice di vino.

– Non si è offeso, vero?

– Al contrario.

– Ma perché non si accomoda? Ci sono dei tavoli liberi.

Nicola gli indica col mento quello dove sedeva sempre con Licia.

Pavel ruota la testa verso il tavolo e la riporta su di lui.

– Non è peggio?

Nicola si picchietta le labbra con le dita. Lo fa sempre, quando vuol dire qualcosa.

– Mia nonna, quando il nonno morí, si mise a dormire al suo posto. Diceva che in quel modo non sentiva il vuoto accanto.

Pavel inarca le sopracciglia, incuriosito.

– Cosí, – continua Nicola, – quando di notte si svegliava, guardava il posto vuoto vicino al suo e pensava: «Ma vedi, non ci sono».

Pavel ride.

E Nicola appresso.

– Anche un'altra nostra cliente chiede sempre quel tavolo.

– Ah sí? – chiede distrattamente Nicola.

E beve di nuovo.

– Secondo me le piace il manifesto. Un giorno o l'altro ci chiede di venderglielo, tanto lo guarda. Ma lo sa che poco fa ha fatto scappare un imbecille che la infastidiva? Una scena da film, proprio.

– Come hai detto?

Nicola ha allontanato il calice dalle labbra.

Pavel è confuso. Risponde col tono di chi teme di aver parlato a sproposito.

– Che ha fatto scappare uno che...

– No, prima.

– Allora, – comincia dall'inizio Pavel, fraintendendo la domanda, – lei era seduta lí, e quello al tavolo di fronte, in fondo, e con una ragazza, oltretutto. Lui non le toglieva gli occhi di dosso, finché...

E gli racconta dell'assedio, di lei che sulle prime lo ignora e poi accetta la provocazione, di lui che le sillaba il numero del cellulare sotto il naso della fidanzata, della donna (parlando della quale la voce gli si abbassa sempre un po') che finge di abboccare e si alza, si avvicina al loro tavolo e lo chiama al telefono sfasciandogli il piano e anche il fidanzamento, della ragazza che lascia il locale senza dire una sola parola, di lui che la segue con la coda fra le gambe nel compiacimento dei presenti che hanno assistito alla scena; e mentre parla parla e parla, Pavel non immagina che la parte che a Nicola interessa, che lo ha fatto scattare sullo sgabello, è quella in cui la donna sceglie il tavolo che è anche il suo per guardare un manifesto incorniciato che non sa cosa significhi per lui che adesso, mentre finge di prestare attenzione a quell'altra parte della storia che pure parla di lei, si sente dentro come un principio di sollievo, la fine imminente di un'attesa, qualcosa che gli ricorda i tempi in cui l'estate, piú che cominciare, gli veniva incontro.

Un collega assunto di recente le ha chiesto di uscire. È piú giovane di lei, ha un certo gusto nel vestire, bei denti (che infatti mostra sorridendo in maniera premeditata) e la erre moscia (ma solo su certe parole); un fisico asciutto, lineamenti piacevoli. Complessivamente bello, anche se da vicino sembra finire là dove comincia.

Per un mese e mezzo abbondante ha fatto un po' di girondella (gli uomini non vanno dietro, vanno intorno), accorciando progressivamente le distanze; ha cercato di non risultare troppo invadente e ha fatto in modo che Irene cogliesse la studiata casualità delle sue ripetute apparizioni al distributore automatico del caffè, per poi ritrattare tutto al momento dell'approccio, come se arrivato al dunque volesse ritirarsi per prepararsi meglio.

Eccone un altro, ha pensato Irene fin dalla prima retromarcia.

Il problema era che per ovviare agli attacchi d'insicurezza che lo assalivano quando arrivava il momento di aprire bocca e praticamente dichiararsi, doveva inventarsi qualcosa da dire che in apparenza contraddicesse la fatica che aveva fatto per arrivare fin lí, e allo stesso tempo suonasse come una disperata richiesta di dilazione alle orecchie di lei, che perciò avrebbe dovuto comprendere la sua difficoltà, fingere di assecondarlo e permettergli di tornare alla carica senza perdere i punti accumulati (un compito tremendamente oneroso, che solo a descriverlo viene da domandarsi perché mai qualcuno dovrebbe pensare di assumerselo).

E siccome, per quanto carino, ben dentato e tutto il resto, il corteggiatore di Irene, che poi si chiamava e si chiama Valerio Valente, aveva una scarsissima capacità d'improvvisazione, se ne usciva con dei fuori tema cosí inadeguati e balordi che veniva da dirgli: «Scusa eh, ma se non hai intenzione di concludere, perché cominci?»

Quando alla fine s'è deciso (il tempo che se ne accorgesse tutto l'ufficio), Irene ha risposto soltanto: «Va bene, basta che non mangiamo cinese o vegetariano»; e quello, da che non ce la faceva manco a guardarla in faccia, prende un'autostima e una sicurezza che nel giro di due minuti gli cambiano l'andatura (infatti cammina come seguisse un rap che sente solo lui), e torna alla sua postazione con l'aria di un seduttore navigato (incredibile quanto la gente non veda l'ora di diventare il suo opposto, aspettandosi la collaborazione del pubblico quando ottiene un microgranulo di rivalutazione, quasi che i testimoni del suo repentino cambiamento avessero firmato un tacito accordo di reticenza e da quel momento dovessero far conto di rivolgersi all'edizione restaurata).

A Irene, in fondo e anche in cima, Valerio Valente non piace. Non ha voglia di approfondire la sua conoscenza, e forse nemmeno di farla. La sua timidezza non le fa né caldo né freddo. Non trova piú, come una volta, che gli imbranati abbiano un fascino. Pensa, anzi, che non ne abbiano affatto. E non perché la fanno tanto lunga prima di buttarsi (tutto sommato, un modo di apparire patologicamente incapaci di andare in giro a rimorchiare e quindi, in prospettiva, fedeli); ma perché in quell'inettitudine che sulle prime ispira tenerezza e compassione erotica (non l'istinto materno, che Irene non ne può piú di sentir chiamare in causa appena la sessualità femminile diventa argomento di discussione, e non ha mai capito cosa c'entri con il portarsi a letto qualcuno, dato che la sola idea di associare un amante a un bambino la trova di pessimo gusto, oltre che psicologicamente stiracchiata) sente il peso di un barile che le viene scaricato sulle spalle.

L'imbranato non fa la sua parte, la elude. Si giustifica. Te l'appioppa. E cosí tu devi fare anche la sua. Devi corteggiarti al suo posto, prendere l'iniziativa al suo posto, fidanzarti con te stessa al suo posto, amarti al suo posto (a volte anche scoparti al suo posto), diventare amministratore delegato, commesso e facchino della coppia, se ti avventuri in una vita a due.

L'imbranato dice: «Non mi vengono le parole, non ce la faccio. Levamele tu di bocca, ti dispiace?»

Poi dice: «Anch'io vorrei sposarti, ma il matrimonio mi terrorizza. Per favore, dimmi che andrà tutto bene. Convincimi».

Poi dice: «Sei proprio sicura di essere incinta? Non credevo che sarebbe successo cosí presto».

Poi dice: «Non sarebbe meglio andare in affitto piuttosto che metterci un mutuo sulle spalle?»

Poi dice: «Certo che amo i nostri figli. Farei qualsiasi cosa per loro, lo sai. È solo che ancora non riesco a sentirmi a mio agio nel ruolo di padre».

E via, tutta la vita questa pièce.

Questo tipo di fascino ha smesso di affascinarmi, ha decretato Irene dopo una lunga frequentazione della categoria. È come incarnarsi in Liv Ullmann in un remake di *Scene da un matrimonio* girato da Topolino.

Non ne posso piú di uomini che mi raccontano come la pensano. Che parlano, parlano, e poi pretendono di fare testo, rimproverandoti se non archivi e custodisci gelosamente tutto quello che ti hanno detto («Ma come, non ti ricordi? Te ne avevo parlato»; «Eh, – la risposta che non ho mai dato, – non me lo ricordo: e con questo?») Che vogliono mostrarmi il loro lato migliore o quello che pensano sia il loro lato migliore, snaturandosi, occultando la parte di sé che magari potrebbe veramente piacermi (non sarebbe meglio risparmiarsi tutta questa fatica, visto che poi l'altro lato dovrò sciropparmelo comunque?), svelando un sentimento di adorazione e di sottomissione nei confronti delle donne che si portano dietro dai tempi della scuola e da cui vorrebbero tanto guarire, un giorno. Che si affidano. Che mi piagnucolano addosso

il loro bisogno di comprensione e di accudimento.
Che non capiscono quand'è il momento di fare di
me quello che voglio. D'impastare il mio desiderio
con il loro senza chiedere permesso.

Voglio un uomo a cui la vita abbia dato troppo
da fare perché si sforzi di piacermi e soprattutto
compiacermi. Che mi deluda, se capita. Perché non
c'è niente di cosí imperdonabile nel deludere qualcuno, Cristo santo. È una cosa che succede continuamente, e vorrei che succedesse anche a me. Ma
sul serio. Vorrei essere delusa e deludere, ma sperimentare una delusione risolutiva, di quelle che ti
fanno chiudere un capitolo e guardare avanti, non
portare questa specie di lutto tutta la vita, manco
fosse sempre colpa mia. Mi ha invecchiato, quella
faticaccia. Non voglio piú farla.

E cosí stasera Irene va a cena fuori col suo corteggiatore ripetente, ma è abbastanza convinta che
non gli sentirà dire niente d'interessante. Che sarà d'accordo con lei qualunque cosa dichiari. Che
farà di tutto per compiacerla, anche se giurerà di
aver molto apprezzato, pur con qualche riserva,
Cinquanta sfumature di grigio. Che si dirà di sinistra, ma anche un po' di destra, perché alla fine
la politica è tonda (e nel pronunciare questa frase
sentirà di essersi tradito a favore di un qualunqui-
smo che troverà addirittura piacevole); e se ha capito bene il tipo, cercherà anche di non portarsela
a letto la prima sera.

Quando sarà il momento di salutarsi le prenderà

la mano per dirle, guardandola negli occhi: «Sono stato davvero bene, grazie», aspettando che lei lo baci. Quindi resterà in macchina per accertarsi che si sia chiusa il portone alle spalle e solo allora darà un colpetto di clacson.

È questa l'idea che Irene s'è fatta della serata che l'attende, e tanto le dovrebbe bastare per risparmiarsela. Tuttavia – ed è il motivo per cui ha detto sí – la prospettiva di fare sesso con Valerio Valente non le dispiace. E questa condizione minima (non sa nemmeno lei perché, non se l'è chiesto) le è bastata per accettare l'invito. In fondo, se ci pensa, non le sembra poco. Non si è mai trattata con quel po' di cinismo che in parte invidia a qualche amica scafata, e sotto sotto è stanca di prendersi cura di sé. Tanto, sarà lei a condurre. Potrà tirarsi indietro o farsi avanti, cambiare idea nel corso della serata o alla fine, mostrarsi collaborativa o fare la stronza.

Al momento, l'ultima opzione non le dispiace affatto. Non s'è mai concessa una libertà simile, prima d'ora. Forse non s'è mai concessa nessuna libertà. L'idea di concedersela fino allo sperpero tutt'a un tratto la intriga.

Vediamo cosa succede a non respingere un uomo che mi piace solo in minima parte.

Proviamo, per una volta.

Non ho rimpianti, amore mio. Com'è andata è andata. Smetti pure di scappare, non ti dirò nulla. Né potrei fare altro, del resto, perché nei sogni voi morti non vi lasciate mai toccare.

Ribadite continuamente il distacco fisico, magari fate delle rivelazioni indiscrete, o consegnate delle profezie in forma di allusione. Qualche volta date i numeri, ma mai confidenza. Siete razzisti. Ma io lo vedo, che hai paura che ti chieda di noi. Non lo farò, stai tranquilla. Avvicinati, se vuoi.

Ci hai fatto caso? Ogni volta che abbiamo cercato di parlare (di aprirci, come si dice: un'espressione che ho sempre trovato brutta e inaffidabile), ci siamo allontanati un po' di piú.

D'accordo, lí per lí la parola dà sollievo. Una schiarita la vedi. Poi scatta qualcosa, s'indietreggia. Una parte di te si rintana, si difende, cerca l'uscita piú vicina. Pensi a quanto a lungo devono aver covato, le frasi cosí caustiche che stai ascoltando, e ti domandi perché devi stare lí a sentirle, e perché ti sembrano cosí ingiuste, anche se non puoi negare che siano vere. A tua volta riconsideri quello che hai fatto e puoi addurre a tua difesa (quasi avessi svolto un lavoro che non ti è mai stato retribuito e tutt'a un tratto diven-

tassi cavilloso e sindacale), le promesse mantenute, i dolori ingoiati, le elargizioni, le finzioni, le insoddisfazioni, le inadempienze, le rinunce, la tua felicità fatta dei resti della sua, i conti che non hai mai tenuto e adesso ti vedi ricambiare con una contabilità impeccabile che avrà richiesto una dedizione di cui non credevi capace nessuno. E tutto si quantifica. Si squalifica.

Io non ci so stare, a questo gioco al ribasso. Dammi pure del vigliacco se vuoi, preferisco il silenzio. La sincerità è sintetica, a volte telegrafica, e perciò spietata. Riassume anni in poche battute di dialogo, azzera le complicazioni, viene al punto. Come se poi ci fosse un punto, in una vita insieme.

A me, anche se l'ho capito tardi, non piacciono quelli che vanno al punto.

E dire che una volta li invidiavo.

Dimmi, cosa avremmo ottenuto mettendoci a turno sul banco degli imputati ad ascoltare fino in fondo la requisitoria dell'altro? Com'è che va a finire in questi casi? Si emette una sentenza? Si viene condannati alle spese? Ci si accorda su un risarcimento? Ci si vuole più bene di prima?

Un cliché.

Una sera tuo marito torna a casa con un collega.

Ti scusi del disordine, della cena che dovrai preparare con quello che c'è in frigo.

Guardi in cagnesco tuo marito, lo sa che non sopporti queste improvvisate, che non sei abbastanza informale da accogliere un ospite senza preavviso.

«Dopo facciamo i conti», gli dici fingendo di scherzare, mentre il suo collega ti stringe la mano guardandoti negli occhi.

Tu rimbalzi nel suo sguardo, e senza accorgertene ti aggiusti i capelli con l'altra mano.

Tuo marito non si accorge di niente, preso com'è dall'ospitalità.

«Dammi», dice al collega. Intende il cappotto, e quello nemmeno lo sente, tanto è distratto da te. Praticamente tuo marito glielo toglie di dosso senza incontrare resistenza e nemmeno partecipazione.

Ti fingi disinvolta mentre pensi che non hai un filo di trucco, che stamattina ti sei alzata con gli occhi gonfi, che hai le ciabatte ai piedi e il cardigan slabbrato di vent'anni fa. Dai subito ragione a tua madre, che ogni volta che viene a trovarti e te lo vede addosso dice: «Quand'è che lo butti quel cimelio?»; e tu rispondi: «È per casa, chi vuoi che mi veda».

Ecco qua, ti hanno visto.

«Potrei tentare degli spaghetti con tonno e zucchine, se vi vanno», proponi usando un plurale di circostanza, e ti accorgi che la tua voce ha perso l'acidità iniziale per accogliere una nota di gentilezza che neanche controlli; e l'ospite, rimettendo gli occhi nei tuoi, ti risponde che non vede l'ora.

Ti allontani, vai a specchiarti in bagno, ti lavi la faccia, metti un velo di crema, sciogli i capelli, li rileghi e li risciogli. Con le dita stendi le labbra e poi le sopracciglia, tiri la pelle verso l'alto e la lasci andare, t'incanti. Ti guardi indecisa se tornare in te o continuare a fare quello che stai facendo. Tiri lo scarico anche se non c'è bisogno.

Vai in camera da letto, improvvisi un look informale ma pensato. Sei sempre stata brava a renderti elegante con poco. Ti guardi nello specchio a figura intera, ti metti di fianco, fai il broncio.

Esci, vai in cucina e cominci a preparare mentre in soggiorno tuo marito e il collega chiacchierano di lavoro. Dal modo in cui risponde, giureresti che non è affatto interessato a quello che tuo marito sta dicendo.

Spegni la tv sintonizzata sul telegiornale perché tutt'a un tratto l'attualità ti sembra un brusio anacronistico.

Tiri fuori del vino bianco dal frigo e il cavatappi dal cassetto delle posate. Raggiungi tuo marito e il suo collega in soggiorno con le mani opportunamente occupate. Conti sul fatto che lui si offra di aiutarti e nell'istante in cui lo fa (sembra non aspettasse altro) dici a tuo marito di andare a prendere i bicchieri in cucina.

Quando quello ti toglie la bottiglia dalle mani, te le sfiora.

Non è niente, ma è bello.

Mentre stappa il vino al tuo posto ti accorgi che ha fatto caso al tuo cambio d'abito, lo registra un capo per volta con un'attenzione perfettamente calibrata. Hai l'impressione che succhi aria col naso per catturarti l'odore.

Lo sforzo che gli costa non guardarti quanto vorrebbe ti lusinga e allo stesso tempo ti destabilizza. Potesse (saresti pronta a scommettere, su questo), resterebbe a fissarti per ore, senza saziarsi, come se fossi sconfinata, come se tu stessa non avessi idea di quanto ci sia da vedere in te, e lui non desiderasse altro che mostrartelo.

Tuo marito torna con i bicchieri, v'invita a sedervi, versa il vino, si scusa ancora per averti messa davanti al fatto compiuto, racconta il motivo dell'invito. Dichiara piena fiducia nei tuoi spaghetti.

Tu senti e non senti. Speri che interpreti la leggera agitazione che t'ingoffa i movimenti per uno strascico del nervosismo dovuto alla sorpresa. Ogni tanto prendi un sorso di vino.

Durante la serata continuate a cercarvi con gli occhi. A volte sei tu a levarli per prima, altre lui. Ti alzi spesso per andare in cucina. Ogni volta che torni a tavola sei un po' piú stanca, è stremante il gioco a cui ti sei prestata, a un tratto desideri venirne fuori, non hai quasi toccato cibo, temi che

tuo marito capisca (ma capisca cosa, poi, se neanche tu sai quello che sta succedendo?), vorresti che
quest'uomo se ne andasse com'è venuto, in fondo
nemmeno lo conosci, che cosa vuole da te, come
si permette.

Quand'è il momento di andarsene si scusa dell'in-
vasione, dà la colpa a tuo marito scherzando, saluta
prima lui e poi te, ti prende la mano.

Tu pensi che eserciterà quella leggera pressione
che renderà di colpo volgare un'intesa di cui avevi
già iniziato a pentirti, che ti parlerà – insomma –
con il codice Morse della pelle (una parte di te si
augura che rovini tutto). Lui invece ti tocca con
una delicatezza in cui senti come una richiesta di
scuse, che annienta di volata le tue ultime, dispe-
rate resistenze.

La notte dormi a tratti, ma ogni volta che ti svegli
ti scopri allegra. Ci metti un po' a riaddormentarti.

Il giorno dopo chiama a casa chiedendo di tuo
marito. Tu alzi le sopracciglia, sapevi che lo avrebbe fatto, gli chiedi ironicamente se è al corrente
che hanno inventato i telefonini.

«Sul serio? E quando?», fa lui, e dopo che hai
riso aggiunge che è tutta la mattina che lo chiama
al cellulare senza riuscire a prendere la linea.

«Curioso, perché ci ho parlato cinque minuti
fa», ribatti tu mentendo.

«Ah, ecco», fa lui dopo qualche secondo di silenzio, praticamente costituendosi.

Tu ridi. E lui anche.

Sai bene cos'hai appena fatto.

Poi lui sparisce per qualche giorno. Ti senti pri-

ma perplessa, poi confusa, poi offesa e poi solle-
vata. Non ti confidi con nessuno.

Tuo marito fa casualmente il suo nome mentre
pranzate. È come se un acquazzone ti sorprendes-
se all'improvviso per strada.

Sono giorni, racconta, che il suo amico va in processione da un medico all'altro perché una mattina sua madre l'ha chiamato per dirgli che non ci
vedeva piú da un occhio.

Provi una fitta di dispiacere per quella donna che
non conosci, eppure sorridi. Lasci cadere di proposito il tovagliolo per nasconderti sotto il tavolo
per qualche secondo.

Quel giorno stesso ricevi una telefonata muta.
Di solito attacchi immediatamente. Questa volta
resti in ascolto finché dall'altra parte chiudono.
Dopo sei di buonumore.

La mattina seguente te lo ritrovi sotto casa mentre stai andando al lavoro. Ti tremano le gambe.

Gli chiedi cosa ci fa lí a quell'ora, e ti volti verso
la gabbiola del portiere sperando che sia deserta.

Lui ti racconta che è in ansia per sua madre. Che
ancora non hanno capito cos'ha. Che forse deve
portarla in Francia. Che ha già disdetto tutti gli
impegni di lavoro per le prossime due settimane.
Che gli dispiace di averti chiamato il giorno prima
e di aver chiuso.

«Come hai detto?», domandi, spiazzata.

E lui ti poggia la mano sulla tua.

C'è una sospensione in certi risvegli, una fame di memoria. È quando ti senti un corpo che pulsa e respira ma non ricordi chi, e forse nemmeno cosa sei. Pochi secondi, che però hanno la claustrofobia della peggior galera.

Questo panico minore (è cosí che lo considera) assale Irene da diversi anni con capricciosa frequenza (ma non tanto da farle considerare l'opportunità di una terapia), quasi sempre verso l'alba, molto meno di notte, costringendola a scattare in piedi e lanciarsi in un'impazzita ricerca di se stessa fra le mura di casa, con l'urgenza di un vigile del fuoco che risponde a una chiamata di soccorso. Solo che il pompiere sa dov'è l'incendio e come spegnerlo, lei no. E cosí vaga come un'anima in sfratto, aspettando che finisca.

A volte la memoria torna nel corridoio, altre in cucina, altre addirittura sulla porta d'ingresso. Oltre quella, però, non è mai andata.

Dove si trova, adesso? Non conosce questa stanza, né questo letto. Rispetto all'angoscia che solitamente l'assale, questa sembra una sua forma lieve, un piccolo dilemma impastato ancora del sogno da cui non è uscita del tutto.

Non fosse per l'uomo che le dorme accanto, si alzerebbe per una delle sue ricognizioni casalinghe. Benché non ne sia sicura, e abbia un ricordo confuso della sua faccia e del suo corpo, potrebbe aver fatto l'amore con lui, ed è questo dubbio a trattenerla dall'offrirgli lo spettacolo di un disturbo episodico che vuol tenere nascosto (curioso che anche nel panico ci si possa preoccupare delle apparenze).

Valerio Valente inspira, sospira, si volta, apre gli occhi e le sorride, come se ritrovarsela accanto fosse il piú felice dei risvegli. È per via della penombra che non si accorge dello straniamento con cui lei lo guarda.

Le scivola accanto, fa per accarezzarle il viso.

Irene non lo riconosce, si tira indietro di scatto, porta una mano alla bocca soffocando un singhiozzo.

Lui si ritrae spaventato, accende subito la luce del comodino, s'inginocchia sul letto, le mostra le mani alzate, inoffensive.

– Ehi, ehi, – sussurra. – Calmati. Sono io.

Irene lo guarda. Vede gli occhi leggermente gonfi, ancora ubriachi di sonno, i capelli spettinati ma morbidi, che cadono sulla fronte in un ciuffo vagamente démodé. Ha un che di adolescenziale nel torace, come gli mancasse ancora un po' per diventare completamente adulto (l'aveva già pensato mentre facevano l'amore, se ne ricorda in questo esatto momento: un dettaglio che le restituisce di colpo la memoria, procurandole un sollievo immediato).

Valerio Valente, santo Dio.

– Scusa, – gli dice, accarezzandosi la fronte, – stavo sognando.

– Mi dispiace se ti ho spaventato, – fa lui avvicinandosi timorosamente, come chiedesse il permesso di toccarla. – Vuoi che ti porti dell'acqua?

– Sí, grazie, – lo rassicura lei buttandosi i capelli all'indietro, e accorgendosi in quello stesso momento di stargli offrendo un perfetto primo piano del suo seno.

Irene ha un seno tondo e abbondante, che nel corso della vita le ha provocato ammirazione e invidia in misura quasi uguale. I capezzoli larghi, morbidi e chiari, dai margini leggermente sfrangiati, che hanno sempre, immancabilmente illuminato di gratitudine cosmica gli uomini a cui li ha offerti. Succhiare il seno di Irene, per un amante, è il gesto piú ovvio e rituale, un'arcaica mescolanza di vampirismo e venerazione. Ha altre nicchie di bellezza, Irene, a cominciare dal viso, ma nessuna cosí abbacinante. Un piccolo culto già dai tempi scolastici, invulnerabile a ogni corrente iconoclasta. Le è addirittura capitato (soprattutto da ragazza) di sentirsi in concorrenza con lui, con il suo seno, e di cercare – negli angusti limiti del possibile – di occultarlo, tanto è forte il potere che è in grado di suscitare autonomamente sugli uomini (e qualche volta sulle donne) che la guardano.

Valerio Valente è in piena ipnosi erotica. Proprio non ci riesce, a staccare gli occhi di là.

– Me lo porti o no il bicchiere d'acqua? – lo riprende Irene.

– Eh? Ah, sí, – fa lui, al tempo stesso imbarazzato e compiaciuto da quel retaggio di mascolinità guardona, – scusa.

Irene lo accompagna con gli occhi mentre esce dalla stanza. Nudo, Valerio Valente ha una grazia che i vestiti nascondono. Muove il corpo e lo mostra con una disinvoltura invidiabile, di cui lei non sarebbe capace.

È premuroso, accondiscendente. Buono. Fa l'amore con dolcezza (un po' troppa). Si dedicherebbe a lei senza riserve, se gli desse via libera.

Pensa che con lui potrebbe essere, in certa misura, addirittura felice, se facesse l'elenco delle sue qualità ed evitasse di chiedersi come mai i conti non tornano. Con un po' d'esercizio, potrebbe innamorarsi. Farsi bastare la sua gentilezza, il suo garbo, i suoi anni di meno, il suo amore già cronico, l'incanto con cui la guarda e quel tanto di scontato che promette un futuro semplice e senza sommovimenti particolari, al quale pure aspira.

La vita, insomma, continua a farle la stessa proposta. A presentarle gli stessi uomini. Non è vero che la vita ti sorprende. Quello che fa, soprattutto, è confermarti al tuo posto. Farti sentire dov'eri. Ribadire la felicità che ti è concessa.

Una sola volta ha fatto eccezione. Portandole fin dentro casa, molto tempo prima, l'unico uomo per cui avrebbe lasciato suo marito, un uomo che le prometteva (e avrebbe mantenuto) quella spaventosa felicità a cui ha consapevolmente rinunciato e che oggi testardamente rivuole.

È stata brava, Irene – ma che brava, è stata – a fermarsi prima del tempo. È tutto lí il segreto, recidere sul piú bello, non è cosí? Essere quanto piú drastici si riesce, e poi lavorare di logica per assolversi a solitudine ritrovata. Razionalizzare, si diceva una volta e forse si dice ancora. E quanto ha razionalizzato, Irene. Che cosa non s'è raccontata per convincersi.

Un cliché. Una tresca casalinga. Fra tutte, quella che mi ha sempre irritato. La piú ovvia, la piú abbordabile, praticata dai poveri di risorse. Fatta con quello che ti trovi intorno, senza intraprendenza, senza sprechi d'energie, come la cena con gli avanzi che ho preparato la sera che m'è arrivato in casa. Neanche la statura di andare in giro e trovartelo da te, un amante. Come le coppie che si formano rapinandosi a vicenda. I mariti delle altre o i vecchi amici che a un tratto guardi con occhi nuovi. L'usato garantito. A domicilio, per giunta. Il collega di tuo marito dai lineamenti regolari venuto a cena, Dio santo. Il primo che ti è entrato in casa e ti ha fatto un minimo di gesti adeguati. Basta cosí poco per cadere nelle braccia di un altro, alle spalle di un uomo fiducioso e innamorato che non sa, non sospetta, non ti crede all'altezza di un gesto cosí basso e banale? Tutto qui il valore che hai dato al tuo matrimonio?

E come la metti con te stessa, come ti difendi, cosa ti racconti? Non sono stata io, ho solo aperto la porta, è successo? Me ne stavo tranquilla per i fatti miei, è stato lui a stanarmi? Ma che posizione inattaccabile. Che sceneggiatura originale. Che storia edificante. Scopare negli alberghi, un vero traguardo. Cenare nei ristoranti fuori mano. Sentirti gelare il sangue se ti sembra che sia entrato qualcuno che conosci anche soltanto indirettamente. Nasconderti. Mentire abitualmente, preventivamente, utilizzare qualsiasi occasione o combinazione di circostanze appaia adatta a giustificare la prossima fuga. Tornare a casa e sentirti estranea. Mantenere un equilibrio. Pensare di affittare un appartamento per i vostri incontri, per simulare una vita che non potete permettervi. Ma basta. Fermati finché ancora ragioni. Fermati prima di perdere completamente il senso della realtà e trascinare tutto in rovina credendo di avere ancora il controllo della situazione mentre precipiti. Tanto questa storia finirà, lo sapete tutti e due, vi state solo divorando, tu non lascerai tuo marito né lui sua moglie e i suoi figli, anche se ti ama e tu lo ami e quando siete insieme tutto il resto smette di contare (diventa resto, appunto, lo chiami cosí, te ne accorgi?); le storie, e tu lo sai, devono avere un'origine semplice per evolversi, non durano se devono riabilitarsi, lottare, vincere, infliggersi e procurare sofferenze invece di dedicarsi serenamente a se stesse. E poi dimmi, è cosí importante la tua felicità? Deve proprio occupare il centro del mondo? Ma quanto sei importante, *tu*?

È stata brava, Irene – ma che brava, è stata – a confezionarsi il trattatello moralista. La requisitoria ha funzionato. Si è convinta.

Lui, quando se n'è andato, ha detto che non avrebbero avuto un'altra possibilità. Che dovevano stare insieme subito oppure mai più. E lei gli ha risposto, un po' scherzando un po' tremando nelle labbra, che le sembrava d'essere in un film, quando lui dice a lei partiamo, lasciamo tutto, andiamo via stanotte, ti aspetto alla stazione.

Non sto recitando, aveva detto lui, o prendiamo questa decisione adesso o finisce tutto e per sempre.

E lei in quel momento aveva provato sollievo, perché sapeva che era un uomo di parola, e che l'avrebbe mantenuta.

E cosí ha fatto.

Brava, Irene.

Ma che brava sei stata.

Si sta già rivestendo quando Valerio Valente ritorna col bicchiere d'acqua. Il sorriso felice con cui è rientrato nella stanza gli muore sulle labbra.

– Te ne vai? – osserva, piú che domandare.

Lei lo guarda con imbarazzo. Consegna la risposta all'evidenza dei propri gesti.

– Perché? – chiede lui.

– Mi dispiace, – risponde Irene.

E s'infila la gonna.

– Ti dispiace, – la cita di seguito lui, inaspettatamente polemico.

Irene interrompe a metà corsa la chiusura della zip. Solo un attimo. Poi riprende.

– Potevi almeno aspettare qualche minuto pri-

ma di prepararti, non ti sembra? – torna all'attacco
Valerio Valente, visto che lei non raccoglie.

– Hai ragione, sono stata indelicata, – riconosce Irene. – Ma non l'ho fatto apposta, davvero.

– Quindi dovrei anche apprezzare la tua spontaneità.

Non mi aspettavo la lite, pensa Irene. D'accordo,
è colpa mia, non dovrei neanche essere qui. Non
voglio avviare una storia con quest'uomo, non lo
volevo neanche quando ho accettato il suo invito.
Ma ho accettato un invito a cena, non un anello di
fidanzamento. Siamo stati a letto insieme, almeno
potremmo salutarci con gentilezza.

– Ti chiedo scusa un'altra volta, Valerio. Ma se
mi fossi rivestita tra cinque minuti sarebbe stato
proprio tanto diverso?

– Probabilmente sí.

– Be', mi dispiace.

– Questo l'hai già detto.

– D'accordo, allora non lo ripeterò.

Stasera il centro è chiuso al traffico per via dei festeggiamenti del santo patrono, e dalle tre del pomeriggio, con i negozi chiusi e i visitatori venuti da ogni parte della provincia, si respira un'attesa che sa un po' di capodanno.

La processione ha già percorso le arterie principali della città, e prima di mezzanotte ci saranno i fuochi d'artificio.

Le strade sono piene di famiglie in trasferta, uomini e donne vestiti per uscire, palloncini, bancarelle, gruppi elettrogeni, petardi fuori programma che fanno scattare allarmi, fumo di dolci, ambulanti di merce contraffatta, venditori di rose a caccia di coppie, cani spaventati dalla folla che tirano il guinzaglio dei padroni come volessero chiedere di cosa devono aver paura, vecchietti che guardano dalle finestre la gente che passa, gruppi di amici che si danno appuntamento nei bar del centro per raggiungere la terrazza di qualcuno da dove godersi lo spettacolo dei fuochi senza mischiarsi alla folla, macchine della polizia municipale che chiudono l'accesso a qualche strada sfuggita alle transenne, facce mai viste, dialetti inusuali.

A Nicola le feste patronali fanno tristezza, non

gli piace la folla e ancora meno i fuochi d'artificio, ma lo affascina vedere il suo quartiere riempirsi di estranei e cosí ha pensato di uscire (cosa che di sera non fa mai: gli capita di tirare tardi, ma a casa, risistemando la biblioteca o guardando spezzoni di vecchi film in rete) per infiltrarsi tra la gente, spiarla, godersi lo spaesamento e poi fare un'affacciata del tutto inedita al bistrot.

Non c'è mai andato, a quest'ora.

Irene esce da casa di Valerio Valente con un'insofferenza simile a quella che potrebbe provare un obeso che avesse mangiato un cheeseburger nel bel mezzo di una dieta.

L'autorecriminazione è una sottomarca del senso di colpa (non ha la sua drammaticità e nemmeno quel languore), e il problema, quando ce l'hai con te stesso per qualcosa che avresti potuto evitare e invece hai fatto, è che non puoi cambiare stanza, metterti il muso o perderti di vista per un po'.

Ci mancava la festa del santo per chiudere in bellezza la giornata. Guarda che casino. Che sfilata di forestieri che non sarebbero mancati per nessun motivo. Che fila di macchine, laggiú. Quanta mobilitazione per dei fuochi d'artificio.

Irene vorrebbe tornare a casa, buttarsi nella doccia e lavare almeno un po' dello spreco che ha addosso, ma sente il bisogno di passare al bistrot anche soltanto per dieci minuti, anche se è tardi, anche se non vuol mangiare né bere, come se soltanto lí, nel calduccio di quel locale poco illuminato e graziosamente vecchiotto, potesse ritrovare le cose disposte come vorrebbe che fossero, com'erano prima del suo inutile concedersi a un uomo con cui non aveva voglia di andare.

S'infila nel corso gremito, schiva i passanti, zig-zaga nella folla, si lancia in ogni varco disponibile, accelera il passo sull'orlo dei marciapiedi allonta-nandosi dalla confusione mentre lo spettacolo dei fuochi comincia.

Nicola è seduto al solito tavolo, davanti al manifesto di Buster Keaton, a un calice di passito e a un trancio di torta ancora intatto. Tiene la forchetta sospesa e la ruota svogliatamente nell'aria.

Irene entra e si chiude la porta alle spalle, lasciando simbolicamente fuori dal locale la confusione della festa.

Si toglie il soprabito, lo appende all'attaccapanni, si afferra ciocche di capelli a casaccio e le tira, istintiva rappresentazione del suo scompiglio interiore. Poi cerca con gli occhi il suo tavolo preferito.

Quando Pavel la vede, s'illumina come un santino nell'edicola votiva di un vicoletto al calare della sera.

– Ma che succede oggi, il santo patrono ha cambiato gli orari dei nostri migliori clienti? – dice, andandole incontro tutto contento.

– Eh? – fa Irene, accorgendosi di avere la testa da un'altra parte.

– Niente, – risponde Pavel, – è solo che...

E s'interrompe, notando che lo sguardo di Irene si è fermato sull'uomo seduto al tavolo che anche lei sceglie sempre.

– ...è solo che non è mai venuta a quest'ora, –

riprende col tono calante di chi pensa di non essere ascoltato, – e neanche lui, – aggiunge, come se completare il concetto gli pesasse, seguendo la linea dello sguardo di Irene.

Nicola ha riposto la forchetta accanto al piatto e ha spostato la testa di lato, come non riuscisse a guardare piú di tanto il manifesto di fronte al quale s'è seduto.

– Lui chi, quello? – fa Irene.

Il suo sguardo non si è spostato di un millimetro.

– Le preparo un tavolo? – dice Pavel ignorando volutamente la domanda, in un accesso di gelosia che non riesce a controllare.

La sua impudenza strappa Irene dall'incantamento, restituendole di colpo l'odore della cucina.

– No grazie, tanto resto poco, – dice, troppo stralunata per rispondergli a tono, e si avvia al banco.

Il barman la saluta con un sorriso. Irene ricambia e gli chiede del vino bianco. Si mette di spalle a Nicola, analizza lo strano imbarazzo che l'ha presa. Sta respirando diversamente, ha una leggera accelerazione del battito. Ha la sensazione indimostrabile che qualcosa le stia per arrivare addosso.

Che succede, perché ho paura? E di cosa?

Il ragazzo le versa il vino.

Irene prende un sorso.

Volta piano la testa verso Nicola, come dovesse farlo.

Gli occhi un'altra volta su Buster Keaton. Quel profilo gentile, che porta il dolore con dignità.

Quasi si somigliano. Chissà cosa significa, per lui.
Cosa ci conserva, in quel poster. Piace tanto anche
a me. Sarebbe bello dirglielo.

Nicola si blocca nella schiena. L'impressione
precisa di avere alle spalle qualcuno che l'osserva.
Come un richiamo, un mugolio, un invito che lui
solo sente.
Lentamente si gira verso il banco.
E la vede.

L'episodio di Walter Chiari è vero.
La canzone citata a p. 52 è *16:9* di Samuele Bersani.
Mia nonna dormiva davvero dal lato del nonno, da vedova.

Stampato per conto della Casa editrice Einaudi
presso ELCOGRAF S.p.A. - Stabilimento di Cles (Tn)

C.L. 21990

Edizione   Anno

5   6   7   8   9   10   2018   2019   2020